*Hermano Luca*

*lo felícito*
*como Diácono*
*lo bendiga ricamente,*
  *Su Hermano En El Señor,*
  *Gembiro Villarreal y*
  *Jan Villarreal*
*Proverbs 17:17*

# DIACONOS:
# SIERVOS EJEMPLARES
# EN LA IGLESIA

Por Henry Webb
Traducido por Rubén O. Zorzoli

CASA BAUTISTA DE PUBLICACIONES

**CASA BAUTISTA DE PUBLICACIONES**
7000 Alabama Street, El Paso, TX 79904, EE. UU. de A.
www.casabautista.org

**Nuestra pasión:** Comunicar el mensaje de Jesucristo y facilitar
la formación de discípulos por medios impresos y electrónicos.

Publicado originalmente en inglés bajo el título, *Deacons: Servant Models in
the Church*, © Copyright 1980, Convention Press, Nashville, Tennessee.

Diseño de la cubierta: Ana Isabel Romero Z.

Ediciones: 1983, 1986, 1991, 1994, 1995, 1997,
1998, 2000, 2002, 2004, 2006, 2007
Decimotercera edición: 2009

Clasificación Decimal Dewey: 262.15

Tema: Diáconos

ISBN: 978-0-311-17026-5
C.B.P. Art. No. 17026

1.5 M 3 09

Impreso en Colombia
Printed in Colombia

# CONTENIDO

# MENSAJE PERSONAL
# DEL AUTOR

Estoy personalmente convencido de que la función ministerial de los diáconos, como está expresada en el Nuevo Testamento, es adecuada en nuestro tiempo. Estoy agradecido por la guía que me prestó Howard Foshee a través de su libro *The Ministry of the Deacon,* ("El Ministerio del Diácono"), cuando yo era un pastor joven. Dicho libro expone con claridad las tareas de los diáconos. He sido desafiado y honrado al estar involucrado en expresar continuamente estos principios neotestamentarios y su aplicación práctica al ministerio de los diáconos, por ser editor de la revista *The Deacon* ("El Diácono"), por dirigir conferencias para diáconos, y ahora por medio de las páginas de este libro.

El propósito de este libro es ayudar a los diáconos a demostrar en sus vidas y, a aplicar en sus iglesias, los conceptos bíblicos de su función como líderes que sirven. El capítulo uno sirve como guía a la congregación a fin de determinar sus procedimientos para la selección y ordenación de los diáconos. Un proceso cuidadoso puede asegurar la elección y llamado de aquellos que serán verdaderamente los siervos ejemplares para la iglesia.

Los capítulos dos hasta el cinco exploran las calificaciones bíblicas para los diáconos. Se espera de los diáconos que sean ejemplo en su crecimiento hacia una fe madura, en su vida familiar cristiana, en su moralidad personal y pública y en una vida aceptada por Dios y por la iglesia. La esencia del capítulo seis es la oportunidad de los diáconos de ser ejemplo en su ministerio hacia la gente. Esto incluye el surgimiento de la función de los diáconos a través de los siglos y la organización de los mismos para ministrar más efectivamente a las personas. Los tres últimos capítulos sugieren maneras más específicas por medio de las cuales los diáconos pueden cumplir su responsabilidad de ministrar. Cuando ellos responden a las necesidades de la gente y de la iglesia, pueden ser ejemplo en el cuidado de las familias, la proclamación del evangelio y el liderazgo cristiano.

Muchas personas merecen gratitud por su ayuda a que este libro sea una realidad:

* Dios usó a T. B. Maston, profesor, escritor y amigo, como un modelo que ha influido profundamente en mi vida y en mi pensamiento.

* Ernest Mosley, como mi pastor y después como mi supervisor, ha enseñado y demostrado el estilo servicial de ministerio.

* Charles Treadway tiene más discernimiento que cualquier otro que yo conozca en la aplicación práctica del ministerio del diaconado. El ha sido como mi padre en el ministerio, pero me ha tratado como a un hermano.

* Los miembros de la Iglesia Bautista Kalihi, de Honolulu, Hawaii, confiaron en que yo fuera su pastor por casi nueve años. Ellos me brindaron apoyo y libertad y me ayudaron a crecer como persona y como pastor.

* Mi ordenación como diácono por la Iglesia Bautista Two Rivers de Nashville, Tennessee, fue un acto significativo para animarme en el servicio cristiano. Mis compañeros diáconos de esa iglesia han demostrado los principios de este libro.

* Los diáconos en las conferencias que he dirigido me han entusiasmado en cuanto a la calidad de su entrega a Cristo y el deseo de ser siervos efectivos en sus iglesias.

* Charles Deweese, Judi Hayes y Jane Wilson han colaborado para que este libro tuviera una comunicación más clara y ayudaron a mejorar mi estilo literario.

* He sido bendecido por estar rodeado de gente que me ha amado y ha creído en mí: padres, hermanas, esposa, hijos, profesores, colaboradores, miembros de iglesia, amigos, pastores y diáconos.

&ast; Mi mayor agradecimiento es para Patti, mi esposa, y para Craig y Chuck, mis dos hijos, por su apoyo moral constante y su paciencia para conmigo mientras continúo creciendo como cristiano, esposo y padre.

Pido a Dios que use este libro para animarle y ayudarle a usted a cumplir la tarea desafiante de ser un siervo ejemplar en su iglesia. Que todo se haga para honrar y glorificar a Dios y para cumplir su propósito.

Henry Webb

# 1

# LA IGLESIA NECESITA SIERVOS EJEMPLARES

Uno de los mayores cumplidos que la gente puede hacer a los cristianos es considerarlos como ejemplos para ser imitados por otros creyentes. Pablo hizo esa alabanza refiriéndose a los cristianos en Tesalónica (1 Ts. 1:7, 8). El modelo de vida cristiana que tenían era digno de ser imitado por otros creyentes. Ellos eran ejemplos vivientes de la vida semejante a la de Cristo.

Los discípulos fueron llamados cristianos primeramente en Antioquía (Hch. 11:26). Es cierto que aquellos que son llamados según el nombre de Cristo deben ser ejemplos de la vida de Cristo mediante sus propias vidas.

Pablo animó a Timoteo a ser un "ejemplo de los creyentes en palabra, conducta, amor, espíritu, fe y pureza" (1 Ti. 4:12).[1] También desafió a Tito a presentarse "en todo como ejemplo de buenas obras" (Tit. 2:7).

El ejemplo principal para todos los cristianos es Jesucristo mismo. El vivió "dejándonos ejemplo, para que sigáis sus pisadas" (1 P. 2:21). Jesús vino para servir. El dijo: "Porque el Hijo del Hombre no vino para ser servido, sino para servir, y para dar su vida en rescate por muchos" (Mr. 10:45).

Jesús ilustró a los discípulos, en forma dramática, su estilo de vida como siervo. El lavó los pies de ellos en la última comida juntos antes de su arresto y crucifixión. Quería que ellos aprendieran sin errores una lección básica de servidumbre: "¿Sabéis lo que os he hecho? Vosotros me llamáis Maestro y Señor; y decís bien, porque lo soy. Pues si yo, el Señor y el Maestro, he lavado vuestros pies, vosotros también debéis lavaros los pies los unos a los otros. Porque ejemplo os he dado, para que como yo os he hecho, vosotros también hagáis" (Jn. 13:12-15).

Todos los seguidores de Jesús debían servir brindando un ministerio en su nombre. El título *diákonos* (siervo) fue aplicado a cada cristiano, pero el apóstol Pablo lo usó también en un sentido especial para líderes específicos de la iglesia (Fil. 1:1; 1 Ti. 3). Los traductores prefirieron no hacer la traducción literal en esas situaciones, sino hacer una nueva palabra, *diácono,* para la palabra griega que significa siervo. De modo que los diáconos llevan a la vez el nombre de Cristo y el de siervo.

Las calificaciones elevadas para los obispos (pastores) y diáconos que se encuentran en 1 Timoteo 3 indican claramente que las iglesias del Nuevo Testamento consideraban a esos líderes como ejemplos de la vida cristiana. Esto continúa siendo cierto en las iglesias de la actualidad.

La congregación busca que su pastor y sus diáconos sirvan como ejemplos tanto en su calidad de vida como en su ministerio activo. Este capítulo guía a la congregación a determinar sus procedimientos para la selección y ordenación de los diáconos que serán verdaderamente siervos ejemplares para la iglesia.

### La Iglesia Selecciona Sus Diáconos

La selección de los diáconos es uno de los eventos más importantes en la vida de una iglesia. El proceso de selección de estos líderes espirituales puede ser una experiencia significativa para la congregación, para los que son elegidos y para sus familias. Esto puede ser posible por medio de un planeamiento cuidadoso y por la utilización de los procedimientos adecuados.

Las iglesias utilizan una variedad de métodos muy amplia. Ciertamente, no hay una manera correcta y única para proponer y elegir a los diáconos. Algunos de los factores que influyen en los procedimientos son la tradición, el tamaño de la iglesia y los deberes de los diáconos. Las iglesias necesitan usar los procedimientos de selección y nombramiento de los diáconos que se adecúen a sus necesidades. La iglesia debe emplear un método que asegure la elección de diáconos que estén bíblicamente calificados y profundamente consagrados al ministerio del diaconado.

El denominador común en las iglesias es que la congregación vota para elegir a los diáconos. Sin embargo, las variantes incluyen áreas tales como calificaciones requeridas por la iglesia (además de las bíblicas), duración del ministerio, nombramiento y eliminación de la lista de candidatos y preparación de la congregación para el proceso de selección.

**Calificaciones requeridas por la iglesia**

La mayoría de las iglesias tienen algún requisito en cuanto a la edad de los diáconos. Lo que se procura es que los diáconos tengan suficiente experiencia como adultos para ser capaces de ministrar en forma madura a un grupo representativo de miembros. Por supuesto, esa madurez no les llega a todas las personas a la misma edad. Sin embargo, lo más frecuente es que las iglesias establezcan una edad mínima entre veintiuno y veinticinco años.

Muchas iglesias también requieren que los diáconos en perspectiva hayan sido miembros de la iglesia por un tiempo mínimo específico. Esto ofrece a los miembros la oportunidad más adecuada para familiarizarse con las calificaciones necesarias para el servicio del diácono. También le da a los diáconos en perspectiva una oportunidad para conocer la naturaleza y el estilo de la iglesia y el ministerio de los diáconos en ella. Lo más común es un período de un año, pero hay variación entre seis meses y dos años.

Las iglesias normalmente requieren algunas pruebas externas de compromiso para con la iglesia. Las citadas más frecuentemente son la participación regular en los programas de la iglesia, como escuela dominical, programa de capacitación, cultos de adoración y reuniones de oración. También se espera que los diáconos sean diezmeros, dando el diez por ciento o más de sus ingresos al presupuesto de la iglesia. La iglesia puede requerir también la asistencia regular a las reuniones de diáconos y la participación en entrenamiento específico para el ministerio del diaconado.

Otros requisitos derivan comúnmente de las calificaciones bíblicas que están en Hechos 6:3 y 1 Timoteo 3:8-13. Los capítulos 2 al 5 exploran esos aspectos.

**Duración del ministerio**

Algunas iglesias continúan teniendo diáconos que sirven de por vida como activos en el cuerpo de diáconos. Esas iglesias tienen elección de diáconos solamente cuando se producen vacantes o se decide aumentar el número. Pero la mayoría de las iglesias elige a los diáconos por un período específico. Casi todas ellas usan un término de tres años. Sin embargo, algunas han optado por una duración de cuatro o más años.

La rotación de los diáconos significa que sólo una parte de los diáconos finaliza cada año su período. En la mayoría de los casos, después de servir el período especificado, el diácono no puede ser reelegido por un año. Los que son elegidos para llenar la vacante por un año o menos pueden ser comúnmente candidatos para la reelección por un período completo. La rotación permite continuidad y, a la vez, hace posible que mayor cantidad de miembros sirvan como diáconos. Los diáconos "en descanso" del cuerpo activo pueden continuar ministrando como siervos en otras responsabilidades de la iglesia. También pueden ayudar con algunos de los ministerios asignados a los diáconos, pero no actuando como oficiales de la iglesia. Ellos estarán listos para asumir el papel de diáconos nuevamente cuando sean reelegidos por la iglesia.

Algunas iglesias confieren el título de "diácono emérito" en reconocimiento y honor por una larga duración en el servicio del diaconado. El término *emérito* significa que el diácono se ha retirado de una posición activa, normalmente cuando no está capacitado físicamente para desarrollar los deberes de un diácono activo. Algunas iglesias usan otros títulos, tales como "diácono vitalicio".

## Nombramiento de candidatos

Un procedimiento muy usado es el nombramiento efectuado por toda la congregación. En cuanto a esto, las iglesias comúnmente hacen una de dos cosas. Algunas distribuyen a cada miembro de la iglesia una lista de votación con todos los miembros elegibles. Los miembros marcan los nombres que ellos deseen para llenar el número de vacantes que necesitan ser ocupadas. Otras iglesias usan una hoja en blanco para que las personas mencionen los nombres de los individuos a quienes creen calificados para el oficio. Algunas iglesias consideran como elección este nombramiento efectuado por la congregación. Sin embargo, es mejor tener los nombres específicos llevados de nuevo a la iglesia para su elección, luego del proceso de eliminación de los candidatos.

Otro método es proponer candidatos por medio de una comisión. Puede ser una comisión especial que solamente propone a los diáconos, o una comisión de nombramientos de la iglesia que también propone a otros líderes. Lo importante es que la comisión estudie cuidadosamente las calificaciones y los deberes de los diáconos.

En algunas iglesias, los diáconos existentes proponen a los futuros diáconos porque ellos creen comprender mejor la tarea del diaconado. La fuerte desventaja es que los diáconos se perpetúan como grupo.

## Eliminación de la lista de candidatos

Uno de los pasos más importantes en la selección de diáconos es entrevistar a los diáconos en perspectiva. El propósito es determinar si una persona está calificada de acuerdo con los requisitos bíblicos y con la iglesia, si comprende y está de acuerdo con el ministerio de diácono y si está dispuesta a servir en caso de ser elegida.

Si es la congregación la que propone los candidatos, lo común es que se pida al pastor y al presidente de los diáconos que realicen las entrevistas. A veces ayudan en el proceso otros miembros del equipo pastoral y otros oficiales de entre los diáconos. Si lo hace una comisión o los mismos diáconos, ese grupo o sus representantes pueden hacer las consultas; a veces se pide que las realicen el pastor y el presidente de los diáconos.

Es conveniente que durante la entrevista esté presente la familia del diácono en perspectiva. Los que hagan la consulta deben estar preparados para proveer la información en cuanto a las calificaciones, deberes de los diáconos y expectativas de la iglesia en cuanto a ellos. Las preguntas deben ser hechas en un espíritu positivo. Las mejores preguntas son las que el diácono necesita responder para decidir si está de acuerdo en ser nombrado. Para evitar posibles problemas, el que entrevista debe buscar abarcar todo aquello que posteriormente puede aparecer en un concilio examinador.

Si la iglesia utiliza un concilio examinador además del proceso más personal de las consultas o en lugar del mismo, debe anticiparse la fecha del mismo lo suficiente antes de la elección y el culto de ordenación. Los diáconos en perspectiva deben ser informados de las calificaciones y expectativas acerca de un diácono. Esto podría estar en forma escrita. A veces se invita a participar en el concilio examinador a pastores y diáconos de otras iglesias de la misma denominación en la zona. El concilio debe estar caracterizado por un espíritu positivo y nunca convertirse en una inquisición. Las áreas de preguntas deberían ser las mismas que en el proceso más personal de las entrevistas.

Algunas veces se requiere un período de entrenamiento antes de que el candidato sea presentado a la congregación para su elección. El período de tiempo para la selección de los diáconos será comúnmente determinado por el tiempo necesario para el proceso de eliminación de la lista de candidatos. Es esencial que sea un tiempo adecuado.

## Preparación de la congregación

Luego de los procesos de selección y eliminación de la lista de candidatos, la comisión de nombramientos llevará a la iglesia una lista para efectuar la elección. En algunas iglesias la cantidad coincide con el número de vacantes a llenar. En otras iglesias la lista llega hasta duplicar el número de vacantes. Si se sigue este último plan, la lista debe incluir varios candidatos más que las vacantes, a fin de evitar el problema de que no sea elegido uno solo de los nombrados.

La congregación necesita estar debidamente preparada para la elección de los diáconos. Si la congregación es la que propone y elige, la preparación debe comenzar antes del nombramiento. Deben interpretarse las calificaciones bíblicas y de la iglesia, los deberes de los diáconos y el proceso de selección. Esto puede hacerse por medio de sermones, filminas, artículos en el boletín de la iglesia, un estudio especial para la iglesia usando este libro, etcétera.

Es necesario presentar a la congregación a aquellos que son propuestos como diáconos. Es un error asumir que todos los conocen. El pastor puede hacerlo en un culto de la iglesia, o puede tenerse una reunión informal en la cual los miembros pueden conversar con los candidatos.

La elección en sí debe hacerse por medio de una lista impresa, y por voto secreto. Se buscará hacerlo en el culto de la iglesia que proporcione la mayor participación posible. Algunas iglesias proveen la oportunidad para que voten los que están ausentes. El anuncio de la cantidad de votos que recibe cada persona es innecesario y falto de sabiduría.

El proceso completo de selección debe ser suficientemente largo como para que se asegure orden y eficiencia, pero no tan extenso como para que los miembros de la iglesia se cansen del mismo. Una vez que la iglesia determina su proceso de selección, debe registrarlo en detalle en los libros de actas de la misma.

### Los Diáconos Se Apartan para el Ministerio

Aunque parezca sorprendente, el Nuevo Testamento dice poco en cuanto a la ordenación. Comúnmente las iglesias utilizan como apoyo para la ordenación de los diáconos el relato en cuanto a la imposición de manos a los siete en el capítulo seis de Hechos. Ese acto aparentemente siguió la costumbre del Antiguo Testamento simbolizando la separación para el servicio de Dios y expresando la aprobación del pueblo de Dios (ver Nm. 8:10).

No hay nada mágico en la ceremonia de imposición de manos. Más bien, la ordenación de un diácono es un acto significativo de aliento y reconocimiento cristiano. Los miembros de la iglesia están diciendo a cada persona ordenada: "Tenemos confianza en usted. Oraremos por usted al ser apartado para servir entre nosotros."

Gaines S. Dobbins dijo: "Nosotros forzamos el Nuevo Testamento y nuestra herencia cuando imputamos a la imposición de manos el conferimiento de algún derecho o cualidad especial. Todo aquello que un hombre ordenado está autorizado para hacer puede ser hecho por un hombre no ordenado que sea autorizado por la iglesia."[2]

Herschel Hobbs agregó: "Los bautistas no se aferran a la tradición eclesiástica que conduce a algunos a considerar que la ordenación es el canal a través del cual el ordenado recibe ministerios especiales de la gracia o poderes no conferidos a otros. El silencio del Nuevo Testamento en cuanto a la forma y al significado del rito de la ordenación tiende a indicar que no era nada más que un acto de separación o aprobación del ordenado para la obra del ministerio."[3]

Algunas iglesias tienen un culto de instalación de los diáconos en lugar de un culto de ordenación. Estas iglesias incluyen a veces a otros oficiales y líderes en ese culto. Aunque no se requiere la ordenación para los diáconos, puede ser una experiencia significativa para ellos, para sus familias y para la congregación.

**El culto de ordenación**

Comúnmente las iglesias dedican un culto completo de domingo para la ordenación de los diáconos. El planeamiento cuidadoso puede asegurar que este evento significativo sea un encuentro de adoración con Dios. El planeamiento con tiempo permite que los que van a ser ordenados inviten a sus parientes, empleados o compañeros de trabajo y otros amigos especiales. La iglesia puede enviar cartas o tarjetas de invitación.

Muchas iglesias realizan un período de examen poco antes del culto de ordenación y otras lo hacen en el mismo culto. La intención de ese examen no es la eliminación de los que no están calificados, pues, eso debería hacerse en el proceso previo de selección. El propósito es similar a las preguntas y promesas en una ceremonia de bodas. Permite que la congregación comparta la exposición pública de sus testimonios, creencias y compromisos cristianos.

Las preguntas pueden ser hechas de modo tal que los diáconos nombrados puedan responder simplemente "sí" o "prometo". Es mejor que se les proporcionen guías para preparar sus testimnios personales. Los candidatos comúnmente incluirán un relato de su experiencia de conversión, el cambio subsecuente en sus vidas y su crecimiento espiritual reciente. Ellos pueden compartir también su actitud hacia el oficio del diácono y sus esperanzas para la iglesia.

Comúnmente, el período de examen es solamente para aquellos que están siendo ordenados. Sin embargo, algunas iglesias también incluyen a diáconos ordenados previamente y que están siendo instalados.

A menudo el culto de ordenación tiene dos partes: una, presentando a los diáconos el desafío de su ministerio del diaconado, y otra, animando a la congregación para que apoye y ore por sus diáconos. A veces ambas partes se combinan en un sermón de ordenación.

Un aspecto culminante es la imposición de manos. Hechos 6:6 no dice claramente si eso fue hecho por toda la congregación o solamente por los apóstoles. Si sólo imponen las manos los pastores y diáconos ordenados, lo están haciendo como representantes de la congregación. Algunas iglesias grandes adoptan este criterio en razón del tiempo necesario para el acto. Sin embargo, si todos los miembros de la iglesia imponen sus manos sobre los diáconos, ello puede realzar el significado de la ordenación para toda la iglesia y para aquellos que están siendo ordenados. Cada persona, al poner sus manos sobre la cabeza del diácono, comúnmente susurra al diácono una frase o dos de oración, una afirmación o un desafío, o un versículo de la Biblia. Lo usual es que antes o después de esta parte del culto haya una oración de ordenación.

El culto puede incluir también canto congregacional, música especial, lectura bíblica, oración, reconocimiento de los diáconos que serán instalados y de sus respectivas familias. El culto concluye con la presentación de una Biblia o de un libro adecuado y un certificado de ordenación para cada uno de los diáconos. Después del culto los diáconos que fueron ordenados y los que fueron instalados, con sus familias, pueden permanecer en el frente del salón (lugar de culto) para ser saludados por la congregación. Algunas iglesias tienen unos momentos de compañerismo social después del culto.

## El problema del fracaso de los diáconos

Una tragedia en las iglesias es el fracaso de los diáconos que no viven de acuerdo con los compromisos asumidos en el tiempo de su elección y ordenación. Es una desilusión para sus compañeros miembros de la iglesia cuando ellos asisten raramente a las reuniones de adoración, fracasan en sus responsabilidades del ministerio o deshonran su oficio.

Si los diáconos no toman medidas, la iglesia debe ser desafiada a actuar con ellos en forma redentora y perdonadora. Los miembros de la iglesia deben recordar la advertencia de Jesús: "El que de vosotros esté sin pecado sea el primero en arrojar la piedra" (Jn. 8:7). Los diáconos pueden tener algún problema espiritual, familiar, financiero o de trabajo. O algunos pueden sentirse incómodos e inadecuados para cumplir responsabilidades en el ministerio por falta de preparación. El pastor, los oficiales de entre los diáconos y otros compañeros diáconos pueden buscarle en forma personal y con amor para traerlo nuevamente a la comunión, el crecimiento y el servicio.

Muchos problemas de fracaso entre los diáconos pueden ser evitados por medio de una eliminación cuidadosa de la lista de candidatos antes de la elección, una preparación adecuada y una sensibilidad anticipada para advertir señales de problemas. En muchas iglesias los diáconos están escribiendo sus propios pactos del diaconado. Comúnmente estos pactos declaran claramente los compromisos que los diáconos están asumiendo y cómo ellos se ayudarán el uno al otro para cumplir con esas promesas. ⁴Charles W. Deweese en *The Emerging Role of Deacons* ("El Surgimiento del Papel del Diácono") sugiere algunos aspectos para escribir ese pacto. Los diáconos pueden leer el pacto en forma alternada o al unísono como una parte del culto anual de ordenación o instalación de diáconos.

En resumen, la manera en que la iglesia nombra, examina y ordena a sus diáconos debe ser consistente con lo que la congregación está buscando, siervos ejemplares del Señor en la iglesia.

---

¹ De la versión *Reina-Valera, Revisada, 1960.* Las citas siguientes, salvo mención expresa, serán de esa versión.

² Gaines S. Dobbins, "The Meaning of Ordination", *Church Administration,* December 1960. © Copyright 1960, The Sunday School Board of the Southern Baptist Convention. Todos los derechos reservados.

³ H. H. Hobbs, "Ordination", *Encyclopedia of Southern Baptists* (Nashville; Broadman Press, 1958), II, 1057.

⁴ Charles W. Deweese, *The Emerging Role of Deacons* (Nashville: Broadman Press, 1979), pp. 79-82.

## Actividades Personales de Aprendizaje

1. Los diáconos deben ser siervos _____
   dignos de imitación.
2. La palabra *diácono* significa _____.
3. La _____ de diáconos es uno
   de los eventos más importantes en la vida de una iglesia.
4. La _____ de diáconos significa que
   el período de sólo una parte de ellos termina cada año.
5. Uno de los pasos más importantes en la selección de los
   diáconos es la _____
   de los diáconos en perspectiva.
6. La _____ es un acto de aliento
   y reconocimiento cristiano.

# 2

# SIERVOS EJEMPLARES EN EL CRECIMIENTO HACIA UNA FE MADURA

"¡Yo no me siento calificado para ser diácono!"

Esta es una respuesta común de aquellos nombrados como diáconos en perspectiva cuando son entrevistados por el pastor o por una comisión. Es una respuesta adecuada para aquellos que toman seriamente las calificaciones bíblicas y las responsabilidades del ministerio del diaconado.

Los diáconos en perspectiva pueden apreciar la respuesta de Moisés a Dios: "¿Quién soy yo para que vaya a Faraón, y saque de Egipto a los hijos de Israel?" (Ex. 3:11). Cuando leen las calificaciones escriturales de los diáconos, los candidatos rápidamente admiten su fracaso en alcanzarlas.

La iglesia primitiva tenía expectativas muy altas para los pastores y los diáconos. El Nuevo Testamento no hace grandes diferencias entre las calificaciones de estos grupos asociados en el ministerio pastoral. La fuente básica para los requisitos de los diáconos es 1 Timoteo 3:8-13. Las calificaciones de los siete que se mencionan en Hechos 6:3 son también adecuadas. Pueden agruparse bajo cuatro aspectos generales. Los que han de ser elegidos diáconos deben:

1. Demostrar crecimiento hacia una fe madura: "varones de buen testimonio, llenos del Espíritu Santo y de sabiduría" (Hch. 6:3); "que guarden el misterio de la fe con limpia conciencia" (1 Ti. 3:9). Ver capítulo dos.

2. Demostrar una vida familiar cristiana: "maridos de una sola mujer, y que gobiernen bien sus hijos y sus casas" (1 Ti. 3:12).
Ver el capítulo tres.

3. Demostrar moralidad personal y pública: "honestos, sin doblez, no dados a mucho vino, no codiciosos de ganancias deshonestas" (1 Ti. 3:8). Ver el capítulo cuatro.

4. Demostrar una vida aceptada por Dios y por la iglesia: "sometidos a prueba primero, . . . irreprensibles . . . los que ejerzan bien el diaconado, ganan para sí un grado honroso, y mucha confianza en la fe" (1 Ti. 3:10, 13). Ver el capítulo cinco.

El propósito de los capítulos dos al cinco es capacitar a los diáconos, diáconos en perspectiva y miembros de la iglesia a determinar quién está preparado para servir como diácono. Nadie puede llenar plenamente cada requisito, pero los diáconos deben evidenciar un progreso hacia el ideal. La prueba clave es el comportamiento presente y continuo de la persona. El fracaso anterior de alguien, y que no continúa más, debe evaluarse a la luz de la promesa de Dios de un perdón renovador y de la influencia que el fracaso pasado pueda tener en el presente. No es sabio enfatizar más en las calificaciones fáciles de cumplir que las demás que son igualmente importantes.

El cristiano que crece puede valerse de la promesa de Jesús de "vida . . . en abundancia" (Jn. 10:10). Las calificaciones bíblicas para los diáconos sugieren que un crecimiento de ese tipo hacia una fe madura vendrá por lo menos en cuatro áreas: crecimiento en experimentar la presencia de Dios (plenitud del Espíritu), en ver desde la perspectiva de Dios (plenitud de sabiduría), en integrar la fe a la vida (guardián de la fe), y en demostrar madurez (buena reputación).

## Crecimiento en Experimentar la Presencia de Dios

La experimentación de la presencia de Dios siempre ha sido central en la fe bíblica. Cuando Dios llamó a Abraham para ir a una nueva tierra, Dios le prometió ir con él para mostrarle el camino (Gn. 12:1). Cuando Moisés se quejó por ser incapaz de conducir al pueblo, Dios le respondió con la promesa: "Yo estaré contigo" (Ex. 3:12). En la última cena con sus discípulos, Jesús estaba tratando de prepararlos para el tiempo cuando él no estaría físicamente con ellos. Les prometió: "Y yo rogaré al Padre, y os dará otro Consolador, para que esté con vosotros para siempre: el Espíritu de verdad, . . . el Espíritu Santo" (Jn. 14:16, 17, 26). Cuando la iglesia de Jerusalén necesitó apartar a siete de entre ellos para ministrar a algunas necesidades especiales y solucionar los problemas de comunión, ellos sabían que personas como esas necesitaban la plenitud de la presencia del Espíritu de Dios (Hch. 6:1-6).

Los diáconos de la actualidad necesitan también un sentido claro de la presencia de Dios por el Espíritu Santo. Ellos necesitan la fortaleza y el poder de la presencia reconciliadora de Dios para transformarlos en personas capaces de trabajar con Dios en ministrar a otros. Por medio de la presencia de su Espíritu, Dios ayuda a los diáconos a crecer como personas y también en su capacidad de ministrar en su iglesia y comunidad. Dios continúa usando a los diáconos que están llenos de su presencia fortalecedora para servir en forma efectiva y maravillosa entre su pueblo (Hch. 6:7, 8).

Jesús, en lugar de gastar su tiempo en hacer que la gente se sintiera culpable, les ayudó a clarificar la fuente de su culpa y la naturaleza de su verdadero problema. Tanto el Antiguo como el Nuevo Testamentos asumen que el problema básico de la persona es su separación de Dios. El apóstol Pablo indicó esto claramente con una variedad de palabras paralelas: "impíos . . . enemigos" (Ro. 5:6, 10); "enemistad contra Dios, . . . no pueden agradar a Dios" (Ro. 8:7, 8); y "sin Cristo, alejados de la ciudadanía de Israel y ajenos a los pactos de la promesa, sin esperanza y sin Dios en el mundo" (Ef. 2:12). El problema del hombre es la rebelión y, por ende, la falta de relación con Dios.

Uno de los resultados básicos del pecado de rebelión contra Dios es una división dentro de la misma persona. La separación de Dios significa que una persona no es lo que puede ser ni lo que debe ser.

Dios no deja a la persona en su problema, sino que le da una promesa. El promete salvación a aquellos que reconocen su pecado como separación de Dios. La promesa es la restauración de una relación correcta con Dios. Por ende, la persona puede tener una relación consigo misma que es completa y tiene significado y propósito en lugar de dolor y división. El puede alcanzar su verdadero yo y tener vida en plenitud como Dios lo creó para vivirla.

El acto divino de reconciliación es por medio de la muerte de Cristo en la cruz: "Fuimos reconciliados con Dios por la muerte de su Hijo" (Ro. 5:10). "Pero ahora en Cristo Jesús, vosotros que en otro tiempo estabais lejos, habéis sido hechos cercanos por la sangre de Cristo" (Ef. 2:13). En una manera milagrosa y dinámica, Dios actuó en la muerte de Cristo para restaurar a aquellos que lo aceptan para tener comunión con Dios.

Dado que las barreras están todas del lado humano de la relación, es necesario el perdón de Dios. Perdón significa "enviar lejos" o "eliminar" el pecado. El pasado es alejado y no es más una barrera que impide que la persona experimente la presencia de Dios. Se ha dado la promesa de que "si confesamos nuestros pecados, él es fiel y justo para perdonar nuestros pecados, y limpiarnos de toda maldad" (1 Jn. 1:9).

Dios puede perdonar y cancelar los pecados del pasado. En el acto de reconciliación por medio de la muerte de

Cristo, Dios restaura al pecador perdonado a una nueva relación.

Además de la imagen de la reconciliación, Pablo y otros escritores del Nuevo Testamento describieron esta nueva relación mirándola como a las varias fases de una joya para describirla en sus variadas dimensiones. Ellos hablaron del don de la paz de Dios, el cual sugiere vida en armonía con la voluntad de Dios. Otra dimensión es una nueva libertad, la liberación de la esclavitud del pecado y de la ley, y la recepción de una libertad interior que resulta en servicio a Dios y a los demás. De la misma manera que la paz con Dios y la libertad, el carácter del hijo es una descripción de lo que significa la reconciliación. Es entrar en una relación única con Dios como Padre.

La comunión con Dios es probablemente la imagen más pura y más rica de la nueva relación que una persona tiene con Dios. Esta imagen incluye los conceptos de comunión o *koinonía,* la enseñanza de Juan acerca de "permanecer en" y "estar en" Cristo, la doctrina de Pablo de la unión con Cristo, y otras referencias a ver y conocer a Dios. Aquello que ha sido hecho por Dios es experimentado como una presencia continua del Espíritu del Señor resucitado.

La oración tiene una importancia especial, dado que la comunicación con Dios es la manera de crecer en experimentar la intimidad de su presencia amante y plena de gracia. Muy frecuentemente la motivación para orar está basada en su valor práctico: "La oración cambia las cosas." El énfasis es uno de dos: que la oración es el camino por el que Dios influye o inspira al hombre, o que es el camino para que el hombre influya o persuada a Dios. Los dos énfasis están equivocados en cuanto al propósito primordial de la oración, que es una conversación con Dios para edificar la relación y gozar de su presencia.

De modo que una persona no debe orar solamente cuando "yo lo necesito" o "yo lo siento". Si un esposo y una esposa hablan solamente cuando se necesitan o lo sienten, la relación está en dificultades. Una relación fructífera con el cónyuge o con Dios necesita una conversación regular. Esto significa comúnmente que la persona necesita un tiempo diario para concentrar su atención en la presencia de Dios.

El estilo de vida orientado hacia el activismo va en contra de la dedicación de un tiempo para la oración. Las prioridades parecen llenar cada minuto con alguna clase de actividad. La persona que desee un crecimiento espiritual necesita aprender cómo apartar tiempo para Dios.

La oración no trae al Espíritu de Dios, pero por medio de la oración una persona puede llegar a ser consciente de la presencia constante de Dios. Dios "no viene dando un portazo en la puerta de nuestro corazón acompañado de una aplanadora. El permanece allí golpeando amablemente, esperando que nosotros lo invitemos a entrar."[1] La persona que es seria en cuanto a edificar su relación con Dios por medio de la oración desarrollará tanto la disciplina de la meditación silenciosa y de escuchar a Dios como el arte de hablar con Dios.

A veces la mención de la meditación hace surgir el temor de una forma oriental de actividad religiosa que enfatiza en la separación del mundo. Richard Foster nos brinda una perspectiva balanceada: "La meditación cristiana va más allá de la noción de separación. Hay una necesidad de separación . . . pero nosotros debemos continuar hasta la *incorporación*. La separación de la confusión que impera alrededor nuestro es para llevarnos a tener una incorporación más plena a Dios y a los otros seres humanos. La meditación cristiana nos conduce a la plenitud interior necesaria para entregarnos a Dios con libertad."[2]

Jesús demostró un equilibrio necesario, un movimiento de ida y vuelta entre la actividad y el retiro. Después de describir un día lleno con las enseñanzas y sanidades obradas por Jesús, Marcos escribió: "Levantándose muy de mañana, siendo aún muy oscuro, salió y se fue a un lugar desierto, y allí oraba" (Mr. 1:35). Lucas incluyó una serie de esos retiros de Jesús para un tiempo quieto de oración (4:1 y sig., 5:16; 6:12; 9:28; 11:1; 21:37; 22:41 y sig.). Mucha gente encuentra que los materiales devocionales son útiles para guiarles en un tiempo quieto de devoción y concentración en la presencia de Dios. Los clásicos devocionales proporcionan una oportunidad para escuchar hablar a otros en cuanto a sus experiencias con Dios. El clásico devocional más grande es el libro de los Salmos. El tema central del poeta es el hecho de la presencia de Dios y su interés en la vida de la gente. La lectura de los Salmos como parte de la oración puede ayudar a una persona a aprender mucho en cuanto a experimentar la presencia de Dios en todas las circunstancias de la vida y a comunicar alabanza y acción de gracias por su bondad.

Algunas personas han encontrado valor en anotar algunos de sus pensamientos. Dios puede usar esto para ayudar nuestros pensamientos y concentrar la atención. Esta puede ser una forma de oración significativa, pues se escribe con una conciencia de estar en la presencia de Dios. En algunas ocasiones, el tiempo devocional diario puede suplementarse con un período más largo de silencio y reflexión, un día o dos de retiro. Es muy beneficioso hacer un registro escrito de una experiencia semejante.

El diácono debe ser lleno del Espíritu. La evidencia del crecimiento en experimentar la presencia de Dios es la vida que lleva. Jesús dijo: "Yo soy la vid, vosotros los pámpanos; el que permanece en mí, y yo en él, éste lleva mucho fruto; porque separados de mí nada podéis hacer . . . en esto es glorificado mi Padre, en que llevéis mucho fruto, y seáis así mis discípulos" (Jn. 15:5, 8). Pablo escribió que "el fruto del Espíritu es amor, gozo, paz, paciencia, benignidad, bondad, fe, mansedumbre, templanza" (Gá. 5:22, 23).

### Crecimiento en Ver desde la Perspectiva de Dios

Cuando la iglesia en Jerusalén apartó a los siete, necesitaba hombres que no sólo fueran llenos del Espíritu, sino también llenos de sabiduría. Los diáconos de la actualidad necesitan la sabiduría de Dios para llevar a cabo las responsabilidades de su ministerio.

Seguramente Jesús sentiría la misma frustración con su pueblo de hoy que la que sintió con sus discípulos: "¿No entendéis ni comprendéis? ¿Aún tenéis endurecido vuestro corazón? ¿Teniendo ojos no veis, y teniendo oídos no oís? ¿Y no recordáis? . . . ¿Cómo aún no entendéis?" (Mr. 8:17, 18, 21). Cristo quiere que sus seguidores vean como Dios ve, que vean desde la perspectiva de Dios.

Dios da sabiduría a aquellos que están cercanos a él. El don de palabra de sabiduría otorgado por Dios incluye no sólo conocimiento y experiencia de los hechos, sino también el discernimiento y la comprensión que su Espíritu puede proveer. Este don está disponible para todos los cristianos: "Y si alguno de vosotros tiene falta de sabiduría, pídala a Dios, el cual da a todos abundantemente y sin reproche, y le será dada" (Stg. 1:5). Santiago hizo una distinción entre sabiduría terrenal y sabiduría de lo alto (3:13 y sig.). La sabiduría terrenal, que es motivada por la ambición egoísta, produce celos y falta de armonía. "Pero la sabiduría que es de lo alto es primeramente pura, después pacífica, amable, benigna, llena de misericordia y de buenos frutos, sin incertidumbre ni hipocresía" (Stg. 3:17).

Solamente el arrepentimiento y la confesión de pecado permiten que una persona reciba el perdón de Dios. El arrepentimiento es a la vez una responsabilidad individual y un don de Dios (Hch. 3:19, 26). El arrepentimiento no es tristeza o remordimiento por el pecado sino volver las espaldas al pecado y regresar a Dios en Cristo. Incluye una reorientación tal de la vida personal que es llamada nuevo nacimiento, resurrección a novedad de vida y una nueva creación.

*Conversión* es un término común usado para describir este evento transformador de la vida. Significa darse vuelta, cambiar la creencia o enfoque personal. La misma palabra se utiliza para hablar acerca de convertir, por ejemplo, al sistema métrico para medir. Una conversión verdadera al sistema métrico significará que la persona pensará en los nuevos términos métricos y no tendrá que traducirlo del sistema anterior de pulgadas y pies. La meta en el aprendizaje de un nuevo idioma es pensar en ese idioma y no solamente traducir del primer idioma al segundo. La meta de Dios para su pueblo es que ellos elaboren sus pensamientos y vean desde la perspectiva divina y de ese modo lleguen a ser más como él.

Jesús expresó la razón para buscar la sabiduría de Dios, para ver desde la perspectiva de Dios, en su oración modelo: "Venga tu reino. Hágase tu voluntad, como en el cielo, así también en la tierra" (Mt. 6:10). Pablo escribió: "No os conforméis a este siglo, sino transformaos por medio de la renovación de vuestro entendimiento, para que comprobéis cuál sea la buena voluntad de Dios, agradable y perfecta" (Ro. 12:2).

Uno de los desafíos más grandes para ver desde la perspectiva de Dios es verse a uno mismo como Dios nos ve. Es mucho más fácil mirar "la paja que está en el ojo de tu hermano, y no echas de ver la viga que está en tu propio ojo" (Lc. 6:41). El desafío es que una persona no piense ni más alto ni más bajo de sí misma que lo que es la estimación de Dios. Tanto el pecado no confesado como un concepto bajo de sí mismo puede impedir la experimentación de la presencia de Dios.

La persona necesita aceptar responsabilidades por sí misma, pero el temor de la debilidad puede conducirla a la hipocresía, pretendiendo que es más fuerte que lo que en realidad es. La dificultad en admitir las dudas puede llevarle a una expresión exterior de certidumbre. Por temor a cometer errores, una persona puede postergar una decisión. Tales casos son expresión de querer evitar la admisión de humanidad. Dios le dice a una persona así: "No tienes que esconderme más tu verdadero yo. Conozco todo en cuanto a ti, de modo que no tienes que aparentar."

Cuando una persona confiesa su pecado y comparte su verdadera personalidad con Dios y con otros, normalmente encuentra que sus temores eran ciertamente infundados. Su apertura y honestidad no reduce sus posibilidades sino que las expande, pues llega a estar más en posesión de sí misma. Se ve a sí misma como Dios la ve.

Como ha sugerido Elizabeth O'Connor, no sólo debemos confesar el lado oscuro de la vida, sino también debemos confesar "nuestro lado brillante . . . Somos responsables y libres solamente cuando reconocemos nuestros recursos y el hecho de que la luz ha penetrado nuestras tinieblas y nos ha hecho hijos de la luz."[3] Cuando una persona confiesa este lado de sí misma, puede comprender cuáles son sus habilidades, potencialidades y dones que ha reprimido junto con sus faltas porque amenazaban demasiado su imagen personal.

Al tener un enfoque correcto de sí mismo es más posible ver a los demás como Dios los ve. Una persona es más semejante a Dios cuando prefiere perdonar los pecados de otros en lugar de juzgarlos con dureza. Si un creyente realmente comprende y recibe el amor, el perdón, la paciencia, la amabilidad y el aliento de Dios, él buscará compartirlos con otros. Jesús dijo: "Porque si perdonáis a los hombres sus ofensas, os perdonará también a vosotros vuestro Padre celestial; mas si no perdonáis a los hombres sus ofensas, tampoco vuestro Padre os perdonará vuestras ofensas" (Mt. 6:14, 15). Aparentemente, Dios no puede perdonar a una persona resentida. Una vez Pedro le preguntó a Jesús: "Señor, ¿cuántas veces perdonaré a mi hermano que peque contra mí? ¿Hasta siete? Jesús le dijo: No te digo hasta siete, sino aun hasta setenta veces siete" (Mt. 18:21, 22).

El cristiano que ve a los demás como Dios los ve no considerará a los enemigos y a aquellos que se le oponen como objetos de contención y odio. En lugar de ello, amará a sus enemigos y orará por aquellos que lo persiguen (Mt. 5:44).

Los seguidores de Jesús desarrollarán sensibilidad y compasión por aquellos que están perdidos y desvalidos, como ovejas sin pastor. Orarán con Jesús por más obreros para la cosecha (Mt. 9:36-38). Ellos serán motivados a predicar las buenas nuevas a los perdidos y proveer un cuidado generoso a aquellos que están en necesidad. Los seguidores de Jesús verán que su liderazgo viene a través del servicio y no por medio de su posición y el ejercicio de autoridad.

Aquellos que ven desde la perspectiva de Dios vivirán en un espíritu de gozo y acción de gracias basados en la confianza del amor persistente de Dios. Pablo animó a los cristianos a regocijarse en el Señor en todo tiempo y a darle gracias en todas las circunstancias (1 Ts. 5:16-18). Los cristianos no estarán agradecidos y gozosos *por* todas las circunstancias, dado que algunas les traen dolor y tristeza. Pero Pablo escribió con autoridad: "Y sabemos que para los que aman a Dios, todas las cosas cooperan para bien, esto es, para los que son llamados conforme a su propósito" (Ro. 8:28 *Biblia de las Américas*). Con una sabiduría que está más allá de la comprensión humana, los cristianos pueden experimentar la paz de Dios en sus mentes y en sus corazones (Fil. 4:7).

Santiago advirtió a los creyentes: "Pedís, y no recibís, porque pedís mal, para gastar en vuestros deleites" (Stg. 4:3). Foster afirmó que "pedir 'correctamente' involucra pasiones transformadas, renovación total. En la oración, la oración verdadera, comenzamos a tener los pensamientos de Dios según él: desear las cosas que él desea, amar las cosas que él ama. En forma progresiva somos enseñados a ver las cosas desde su punto de vista."[4]

El estudio de la Palabra de Dios es la manera primordial de aprender la perspectiva de Dios. El propósito de un estudio semejante no es acumular información sino ser transformado en una persona más semejante a Cristo. A fin de experimentar realmente lo que se lee, el estudiante de la Biblia debe concentrarse, enfocar la atención. El repaso, la repetición y la memorización permiten al Espíritu sembrar nuevos modelos de pensamiento que transforman la vida. "En mi corazón he guardado tus dichos, para no pecar contra ti" (Sal. 119:11). La reflexión sobre el mensaje puede traer un discernimiento fresco y una comprensión de la vida como Dios desea que sea vivida.

Samuel Shoemaker hace una advertencia significativa a los diáconos que buscan la sabiduría y la perspectiva de Dios: "La razón verdadera por la cual algunos de nosotros contamos con una guía tan pobre, o tan escasa, es porque buscamos dirección sin estar dispuestos a recibir primero la convicción. A menos que lo dejemos a él quitar las grandes rocas que están justo frente a nuestras puertas, no podremos pedirle que nos muestre el camino."[5]

Los diáconos que quieren crecer hacia una fe madura procurarán crecer en ver desde la perspectiva de Dios. Es con esa meta que Pablo oró por los cristianos de Efeso, "para que os dé, conforme a las riquezas de su gloria, el ser fortalecidos con poder en el hombre interior por su Espíritu; para que habite Cristo por la fe en vuestros corazones, a fin de que, arraigados y cimentados en amor, seáis plenamente capaces de comprender con todos los santos cuál sea la anchura, la longitud, la profundidad y la altura, y de conocer el amor de Cristo, que excede a todo conocimiento, para que seáis llenos de toda la plenitud de Dios" (Ef. 3:16-19).

### Crecimiento en Integrar la Fe a la Vida

La meta para los diáconos es aquella que anticiparon los profetas Jeremías y Ezequiel: que el Señor pondría su ley dentro de su pueblo y la escribiría en sus corazones (Jer. 31:33; Ez. 36:27). Los diáconos que han integrado su fe a la vida son vistos como aquellos que están guardando "el misterio de la fe con limpia conciencia" (1 Ti. 3:9). Ellos han descubierto el gozo y la libertad que vienen del proceso de crecimiento interior que se expresa a sí mismo en las relaciones externas.

¿Cómo llegan a ser reales en la vida del diácono la presencia y la perspectiva de Dios? ¿Cómo es que aquello que Dios ha hecho en Cristo viene a una persona de modo que puede sentirlo como un poder que está llenando y renovando su vida? El carcelero de Filipos preguntó: "¿Qué debo hacer para ser salvo?" Pablo y Silas respondieron: "Cree en el Señor Jesucristo, y serás salvo" (Hch. 16:30, 31.

La persona responde a Dios por medio de la fe y recibe su don asombroso de la reconciliación. Los escritores del Nuevo Testamento utilizaron una variedad de expresiones para hablar de esta respuesta de fe: tener fe, creer, confesar, arrepentirse, ser convertido y llegar a ser como un niño.

La fe incluye oír, creer, confiar la personalidad a Dios y rendirse. Pablo escribió: "la fe es por el oir . . . la palabra de Dios" (Ro. 10:17). Con certeza, una persona no puede recibir un don acerca del cual no sabe nada. Es necesario oír y entender lo suficiente en cuanto al don aun para responder. Habiendo oído, la persona debe por lo menos creer en las verdades básicas en cuanto a la obra de Dios en Cristo. Debe creer no sólo en general, sino en particular, que el acto reconciliador de Dios lo encuentra a él en el punto de su propia separación de Dios.

La fe es también entregar la personalidad a Dios, no solamente entregarse a Dios en general. Incluye la dádiva de la vida personal a Dios con una entrega sin condiciones. Cuando una persona se rinde a Jesucristo como Señor, ha dado una vuelta completa desde el pecado de rebelión y el pecado de vivir para sí mismo, a una relación basada en el querer obedecer. El elige la obediencia como una respuesta al acto de amor de Dios. Dios ha hecho lo que un individuo es incapaz de hacer por sí mismo: restablecer la relación, unir lo que estaba desunido. La persona es restaurada a la comunión con Dios por medio de la presencia del Espíritu Santo.

Como resultado de la respuesta personal a la obra de

Dios en Cristo, la persona no sólo ha renovado su relación con Dios, sino también consigo misma. Dios, por medio de Cristo, lo capacita para restablecer su verdadera identidad. Cuando Jesús habló acerca del propósito de su vida y su ministerio, dijo: "Yo he venido para que tengan vida, y para que la tengan en abundancia" (Jn. 10:10).

Jesús afirmó que la vida se encuentra en relaciones de amor: "Amarás al Señor tu Dios con todo tu corazón, y con toda tu alma, y con todas tus fuerzas, y con toda tu mente; y a tu prójimo como a ti mismo" (Lc. 10:27). Si una persona considera su vida como un don de Dios y las relaciones como centro de ese don, la consecuencia es que el tono de su vida será de gratitud a la fuente y al dador de la vida.

La base de seguridad se encuentra en la relación con Dios como la fuente de la vida. Se ve la evidencia de esto en una dependencia confiada en Dios. Los animales y las plantas demuestran la dependencia en la provisión divina (Lc. 12:24-28). Lo opuesto a la fe es la ansiedad y la preocupación. Jesús igualó al temor con la falta de fe (Mr. 4:40). Juan dio la seguridad de que cualquiera que permanece en el amor de Dios tendrá confianza y no tendrá temor (1 Jn. 4:15-18).

Dado que la confianza de una persona está basada sobre la gracia y el perdón de Dios, no necesita obedecer las leyes de Dios para ser digna de su amor. En lugar de ello, los mandamientos de Dios se convierten en guías apreciadas y valiosas para la vida que agrada a Dios: "¡Oh, cuánto amo yo tu ley! ... ¡Cuán dulces son a mi paladar tus palabras! Más que la miel a mi boca. De tus mandamientos he adquirido inteligencia; por tanto, he aborrecido todo camino de mentira. Lámpara es a mis pies tu palabra, y lumbrera a mi camino" (Sal. 119:97, 103-105).

La meta es permitir que Dios reine sobre la vida de uno, buscando conocer y vivir en obediencia y de acuerdo con su voluntad. Jesús afirmó que ésta debe ser la primera prioridad del cristiano (Mt. 6:33). Las parábolas gemelas del tesoro y de la perla enfatizan que la voluntad de Dios es de mucho más valor que todo lo que una persona tenga (Mt. 13:44-46). Cuando una persona está dispuesta a abandonarlo todo, esa persona ha reorientado sus valores de acuerdo con la perspectiva de Dios. Jesús aclaró lo diferente que es el camino de Dios de aquel del mundo: "Porque todo el que quiera salvar su vida, la perderá; y todo el que pierda su vida por causa de mí, éste la salvará. Pues, ¿qué aprovecha al hombre, si gana todo el mundo, y se destruye o se pierde a sí mismo?" (Lc. 9:24, 25).

La integración de la fe y la vida significa que están combinadas para alcanzar unidad y armonía. El mensaje claro de Jesús y de los escritores del Nuevo Testamento es que una experiencia genuina con Dios es inseparable de los actos de amor semejantes al de Cristo.

### Crecimiento en Demostrar Madurez

Los siete elegidos por la iglesia de Jerusalén fueron hombres de buen testimonio. Esto significa que pusieron en práctica las cualidades de vida examinadas en las secciones anteriores.

Uno de los siete, Esteban, fue llevado ante el Sanedrín porque predicó audazmente. Lucas escribió lo siguiente: "al fijar los ojos en él, vieron su rostro como el rostro de un ángel" (Hch. 6:15). Aquellos que están cercanos a Dios reciben y reflejan su luz. Cuando Moisés bajó del monte Sinaí con los diez mandamientos, todo el pueblo vio cómo la piel de su rostro brillaba porque él había estado conversando con Dios (Ex. 34:29, 30). En el monte de la transfiguración, mientras Jesús "oraba, la apariencia de su rostro se hizo otra, y su vestido blanco y resplandeciente" (Lc. 9:29). Jesús dijo: "Vosotros sois la luz del mundo . . . Así alumbre vuestra luz delante de los hombres, para que vean vuestras buenas obras, y glorifiquen a vuestro Padre que está en los cielos" (Mt. 5:14, 16).

Una niña le contó a su maestra que estaba dibujando un retrato de Dios. La maestra le dijo:

—Pero nadie sabe cómo es la apariencia de Dios.

La niña le respondió:

—Lo sabrán cuando yo termine el dibujo.

Los cristianos pueden decir: "No me miren a mí; no miren a la iglesia; miren a Jesús." Esto suele ser dicho para escaparse de la responsabilidad personal en lugar de glorificar a Jesús. Cuando Felipe le pidió a Jesús que le mostrara al Padre, él respondió: "El que me ha visto a mí, ha visto al Padre; . . . ¿no crees que yo soy en el Padre y el Padre en mí? Las palabras que yo os hablo, no las hablo de mi propia cuenta, sino que el Padre que mora en mí, él hace las obras. Creedme que yo soy en el Padre, y el Padre en mí; de otra manera, creedme por las mismas obras" (Jn. 14:9-11). Luego Jesús dijo a los discípulos que él iba al Padre y que Dios les daría los recursos de su Espíritu: "De cierto, de cierto os digo: El que en mí cree, las obras que yo hago, él las hará también; y aun mayores hará, porque yo voy al Padre" (Jn. 14:12). Esta es una promesa y un desafío asombroso.

Llegar a ser diácono produce temor, pero seguramente ese temor no es menor que el desafío que Jesús dio a todo creyente: "Sed, pues, vosotros perfectos, como vuestro Padre que está en los cielos es perfecto" (Mt. 5:48). Esto recuerda que, aunque los diáconos sirven como ejemplos a la congregación, cada cristiano debe ser medido por el modelo de Dios mismo.

La palabra griega que se traduce "perfecto" significa: "con crecimiento pleno, maduro, que ha alcanzado el fin señalado de su desarrollo". La palabra hebrea significa: "completo, entero, sano."

Pablo definió la *madurez* como "la medida de la estatura de la plenitud de Cristo". El llegó a la conclusión de que los cristianos maduros no son más "niños fluctuantes", sino que han de crecer "en todo . . . esto es, Cristo" (Ef. 4:13-15). La prueba de que las personas pueden estar seguras de que están en Cristo es andar como anduvo Jesús

(1 Jn. 2:5, 6). Jesús dejó un ejemplo para que los creyentes puedan seguir en sus pisadas (1 P. 2:21).

Fred Fisher afirmó que "la meta de la vida cristiana es la semejanza a Cristo", y luego preguntó si esa meta era inalcanzable. Respondió que sí y que no. "Piense en los recursos disponibles a los hijos de Dios, y es fácil ver que no es imposible alcanzar la meta. Los hombres tienen hoy los recursos que Jesús tenía disponibles para sí mismo. . . El poder de Dios que lo capacitó para vivir la vida que vivió está también a disposición nuestra, y con las mismas condiciones: entrega absoluta de nuestras vidas a Dios. Cuando pensamos solamente en la entrega absoluta de nuestras vidas a Dios, vemos que la tarea es imposible. La falla no radica en los recursos de Dios, sino en el fracaso del hombre en su devoción y rendición a Dios en Cristo."[6]

Con tales recursos disponibles no es irrazonable poner la perfección como meta para la vida. Una persona que tiene una vida entregada al crecimiento y madurez personales está siempre progresando, siendo edificada y llegando a ser la persona que Dios creó y quiso que fuera.

El diácono que crece experimentará una tensión entre lo que es y lo que Dios quiere que sea. Esa tensión es sana, porque atrae al creyente hacia la meta de una fe madura. Pablo admitió que no había llegado a la meta de la perfección, pero que había determinado proseguir "a la meta, al premio del supremo llamamiento de Dios en Cristo Jesús" (Fil. 3:14). Agregó que aquellos que son perfectos o maduros tendrían esa actitud, un impulso hacia el cambio continuo y el crecimiento necesario para conformarse a la imagen de Cristo.

A mucha gente le gustaría llegar instantáneamente a la meta de la madurez espiritual. Como lo señaló Thomas Merton: "Nosotros no queremos ser principiantes. ¡Pero convenzámonos del hecho de que nunca seremos otra cosa que principiantes, toda nuestra vida!"[7]

El crecimiento a semejanza de Cristo es un don de Dios, pero los cristianos deben disciplinarse para ser

abiertos a fin de recibir este don. La transformación interior
que se expresará a sí misma en las relaciones exteriores es
digna del esfuerzo.

Cuando yo era un adolescente, tenía este lema coloca-
do en la pared: "Aquello que vale, vale la pena hacerlo
bien." Era un desafío a la excelencia. Recientemente un
amigo revisó ese lema: "Aquello que vale, vale la pena
hacerlo mal." El estaba diciendo que cuando se hace algo
bien es necesario caminar a través del proceso doloroso del
fracaso. El caerse es una parte del aprendizaje de caminar
o andar en una bicicleta. T. B. Maston enfatizó esta
dimensión del crecimiento cristiano: "Los hombres y las
mujeres de Dios son aquellos que son impulsados desde
dentro por un sueño que los obliga a intentar más de lo que
pueden hacer o ser. Nunca están satisfechos pero no se
sienten frustrados o derrotados. Creen que aquel que les
dio el sueño comprende a los soñadores y les perdona sus
fracasos."[8]

Seguramente los diáconos, como líderes cristianos,
deben ser capaces de decir con Pablo: "Sed imitadores de
mí" (Fil. 3:17). Esas palabras vienen inmediatamente
después de la admisión de Pablo de que no había llegado a
la perfección y que estaba entregado a una vida de
crecimiento. Esto es lo que otros necesitan, una mirada a
alguien cuya vida esté en el proceso de llegar a ser más
semejante a la de Cristo. La vida cristiana se convierte en
una posibilidad entusiasta para todos. "La gente será rápida
en reconocer a los falsos. Ellos también reconocerán a los
santos cuando los vean. El poder de la presencia divina en
las vidas humanas es un instrumento poderoso para animar
a la gente a alabar a Dios."[9]

Los diáconos que están demostrando crecimiento en
experimentar la presencia de Dios, en ver desde la perspectiva de Dios y en integrar la fe a la vida tienen una
oportunidad única para ser ejemplos de la fe madura en la
iglesia.

[1] E. Glenn Hinson, *The Reaffirmation of Prayer* (Nashville: Broadman Press, 1979), p. 50.

[2] Richard J. Foster, *Celebration of Discipline: the Path to Spiritual Growth* (New York: Harper and Row, 1978), p. 15.

[3] Elizabeth O'Connor, *Search for Silence* (Waco: Word Books, 1972), p. 72.

[4] Foster, p. 30.

[5] Samuel M. Shoemaker, *With the Holy Spirit and with Fire* (Waco: Word Books, 1960), p. 31.

[6] Fred L. Fisher, *Falling Walls: the Doctrine of Reconciliation* (Nashville: Convention Press, 1971), pp. 62, 63.

[7] Thomas Merton, *Contemplative Prayer* (Garden City, N.Y.: Doubleday, 1969), p. 37.

[8] T. B. Maston, *Etica de la Vida Cristiana* (El Paso: Casa Bautista de Publicaciones, 1981), pp. 130, 131.

[9] Hinson, p. 52.

## Actividades Personales de Aprendizaje

1. Muchos diáconos en perspectiva dicen que ellos no están
   _____ .

2. Los diáconos deben luchar para crecer hacia una fe _____

3. Por medio de la presencia interior de su _____
   Dios ayuda a los diáconos a crecer.

4. El _____ es la manera principal
   de aprender la perspectiva de Dios.

5. La _____ incluye oír,
   creer, confiar la personalidad a Dios y rendirse.

6. La primera prioridad del cristiano debe ser _____
   a la voluntad de Dios.

7. Como Pablo, los diáconos deben esforzarse en ser _____
   o maduros.

# 3

# SIERVOS EJEMPLARES EN LA VIDA FAMILIAR CRISTIANA

La familia del diácono enfrenta algunas expectativas singulares, porque los miembros de la iglesia han desarrollado un concepto elevado del papel del diácono. Por supuesto, hay algunas expectativas realistas y otras fuera de lugar en este criterio.

No debe esperarse que la familia del diácono sea perfecta, pero los miembros de la misma deben tener la oportunidad de ser ejemplos en su vida familiar. Esa ejemplaridad debe ser principalmente una respuesta basada en la relación con Cristo y no solamente por el hecho de ser diácono.

Pablo indicó aquello que esperaban de sus diáconos las iglesias del siglo I. Un diácono debía ser marido de una sola mujer y que gobernara bien a sus hijos y a su familia. Se esperaba que la esposa del diácono demostrara las mismas calificaciones elevadas que su esposo (1 Ti. 3:11, 12). Estas calificaciones bíblicas se dividen en cuatro áreas que los diáconos, los diáconos en perspectiva y los miembros de la iglesia deben usar para determinar quiénes están calificados para servir como diáconos. Estas cuatro áreas son el matrimonio del diácono, la esposa del mismo, la relación con los hijos y la vida familiar del diácono.

## El Matrimonio del Diácono

Tanto los pastores como los diáconos habían de tener una sola esposa (1 Ti. 3:2, 12). Todas las iglesias parecen estar de acuerdo en que, en tal contexto cultural, Pablo enseñó que los hombres que practicaban la poligamia y estaban casados con más de una esposa por vez, eran inaceptables para esa posición de liderazgo en la iglesia. Se discute ampliamente qué más pudo haber querido decir Pablo y qué es lo adecuado para las iglesias de la actualidad.

Algunas iglesias interpretan "marido de una sola mujer" como diciendo que todos los diáconos deben ser casados en lugar de solteros. Sin embargo, esto parecería contradecir el consejo de Pablo a los solteros a permanecer en esa condición porque él pensaba que estaba cerca el fin del mundo (1 Co. 7:8, 25-28, 32). En el mismo pasaje Pablo aparentemente aprobó, pero no animó, el segundo casamiento después de la muerte del cónyuge (1 Co. 7:8, 9, 39).

Muchas iglesias interpretan esta frase como descalificando a aquellos que se han divorciado y se han vuelto a casar. La mayoría de esas iglesias también descalifican a los que se han divorciado y no se han vuelto a casar. Este enfoque se sostiene debido al fuerte énfasis puesto por Jesús en cuanto a la santidad del matrimonio y su rechazo del nuevo casamiento por el divorciado (Mr. 10:2-12).

Otras iglesias están de acuerdo en que el divorcio y el nuevo matrimonio no es el ideal. Sin embargo, esas iglesias dicen que una persona que ha cometido el pecado del divorcio puede recibir el perdón renovador de Dios y de esa forma ser elegible como diácono en la misma manera que otra persona que ha sido perdonada por violación de otras calificaciones.

Cada iglesia debe determinar sus normas en cuanto a la elegibilidad de las personas divorciadas. Es mejor que los miembros discutan y establezcan algunos principios rectores cuando no haya de por medio personas específicas.

Al considerar esta calificación en cuanto al matrimonio, las iglesias no deben limitar su atención al tema del divorcio. Ciertamente, Pablo estaba interesado principalmente acerca de la fidelidad entre el esposo y la esposa en su relación matrimonial. En la ceremonia matrimonial, el esposo y la esposa hicieron una promesa mutua de amarse, ayudarse en lo moral y lo material, esté enfermo(a) o con salud, esté pobre o rico(a) y dedicarle todos sus afectos conyugales a él(ella) y solamente a él(ella). Esta promesa era para luchar en desarrollar la relación y vencer las barreras.

Cuando Dios creó a la mujer como una ayuda idónea y compañera para el hombre, su propósito era: "dejará el hombre a su padre y a su madre, y se unirá a su mujer, y serán una sola carne" (Gn. 2:24). Cuando Jesús citó este versículo, concluyó: "por tanto, lo que Dios juntó, no lo separe el hombre" (Mt. 19:6). La fidelidad sexual es sólo una parte de la unión. El esposo y la esposa deben también impedir que se interpongan entre ellos el trabajo, los hijos, las actividades del tiempo libre, los padres, las responsabilidades comunitarias o aun la iglesia.

En Efesios 5:21 Pablo estableció un principio básico para las relaciones. Los creyentes deben relacionarse con otros cristianos en una sumisión basada en su reverencia hacia Cristo. Luego discutió la relación matrimonial (Ef. 5:22-33). Señaló la relación de Cristo y la iglesia como una guía para la relación entre los esposos y sus esposas.

En los días de Pablo se suponía que la esposa iba a ser sumisa a su esposo. El énfasis singular de Pablo fue dar el derecho de hacer decisiones a las mujeres que carecían de una posición legal en esa cultura. La esposa creyente podía elegir libremente someterse a su esposo de la misma manera que ella había elegido libremente someterse al Señor.

La carga principal en cuanto a cambios estaba sobre el esposo. Su ejemplo era la relación de Cristo como cabeza de la iglesia, pero ese papel está expresado no en términos de control, sino en términos de amor. Un amor semejante requiere sacrificio por parte del esposo para el bien de la esposa. Así como Cristo no vino para ser servido sino para servir, el esposo ha de servir a la esposa. El amor para con su esposa tiene el mismo propósito que el amor por sí mismo, ayudarle a crecer en convertirse en la persona santa y pura que Dios desea. Como sucede con cualquier relación cercana, las diferencias conducirán a conflictos ocasionales, pero el esposo y la esposa cristianos buscarán la guía de Dios para resolver el conflicto para el bien de ambos.

La relación matrimonial provee una oportunidad excelente para que el diácono sea un siervo ejemplar en la iglesia. Esto es particularmente cierto, dado que el matrimonio es usado comúnmente en el Antiguo Testamento como una ilustración de la relación entre Dios y su pueblo, y en el Nuevo Testamento en cuanto a la relación entre Cristo y su iglesia.

### La Esposa del Diácono

En la sección de las calificaciones para los diáconos, Pablo introdujo algunas para las mujeres (1 Ti. 3:11). Los intérpretes han estado en desacuerdo en cuanto a si esto se refiere a las esposas de los diáconos, a las diaconisas o mujeres diaconisas, a las esposas de ambos grupos (pastores y diáconos), o a las mujeres en general. Las últimas dos probabilidades tienen poco apoyo. En el Nuevo Testamento la palabra griega se usa, a veces, claramente como "esposa" (ver 1 Co. 7:2; Ef. 5:22; 1 P. 3:1). Otras veces se usa claramente para "mujer" (ver Mr. 5:25; Lc. 15:8; Hch. 5:14).

La evidencia en el pasaje de 1 Timoteo 3 parece favorecer la aplicación a las esposas de los diáconos. Si Pablo hubiera deseado referirse a mujeres diaconisas, probablemente hubiera usado un término más específico, dado que en el versículo siguiente usó la misma palabra para referirse a la esposa. La discusión fluye más natural si se aplica a diáconos (vv. 8-10), esposas de diáconos (v. 11) y la vida familiar y matrimonial de los diáconos (v. 12).

Algunas iglesias eligen a mujeres como diaconisas. Si lo hacen no apoyan principalmente su acción en este pasaje (1 Ti. 3:8-13). El énfasis que toman es que Cristo se relacionó con las mujeres como personas, en una época en la cual ellas eran consideradas poco más que como una propiedad. Pablo enfatizó una nueva igualdad en Cristo: "Ya no hay judío ni griego; no hay esclavo ni libre; no hay varón ni mujer; porque todos vosotros sois uno en Cristo Jesús" (Gá. 3:28). Los intérpretes indican también que las mujeres son señaladas comúnmente en el Nuevo Testamento en el papel de siervas, consistente con la tarea ministerial de los diáconos. Las mujeres tuvieron, aparentemente, lugares de liderazgo en la iglesia primitiva (ver Hch. 18:26; 21:9; Ro. 16:1; 1 Co. 11:5). También en la actualidad las mujeres tienen responsabilidades de liderazgo en las iglesias. Esas iglesias creen que la asunción de Pablo de que los diáconos eran hombres era debido al contexto cultural de su tiempo, dominado por el hombre, y que no es obligatoria para una cultura en la cual las mujeres tienen mayor libertad y responsabilidad. En diferentes momentos en la historia algunas iglesias han elegido mujeres para servir como diaconisas.[1]

Muchas iglesias eligen solamente a los hombres para servir como diáconos y animan a las esposas para servir en un ministerio de equipo con sus esposos. Esas iglesias reconocen que Dios usa tanto a los hombres como a las mujeres para ministrar a las necesidades de la gente en la iglesia y en la comunidad, pero creen que el papel de diácono debe estar reservado a los hombres.

Cada iglesia debe llegar a su propia decisión en cuanto a la elección de mujeres para ser diaconisas. Los miembros de la iglesia tomarán su decisión basados en su comprensión de la enseñanza bíblica, la cultura de su área, la comprensión del papel de la mujer y de la relación matrimonial, y su compromiso de mantener un compañerismo positivo en la iglesia.

Es cierto que el interés primordial de Pablo está en las calificaciones. El escribió que estas mujeres "asimismo sean honestas, no calumniadoras, sino sobrias, fieles en todo" (1 Ti. 3:11). Cuando Pablo usó la palabra "asimismo", tanto aquí como en el versículo 8, parecería decir que los lectores no deben concentrarse sobre las diferencias en las listas de calificaciones para los pastores, diáconos y esposas. La iglesia primitiva tenía altas expectativas para todos sus líderes.

Se espera que las esposas de los diáconos sean "honestas". Han de conducirse en maneras que las hagan dignas de respeto. La palabra griega viene de una raíz que significa "pía, devota o reverente". Esto implica que honran y sirven a Dios como un estilo natural de vida. Esta es la misma palabra usada para describir a los diáconos en el versículo 8. Esta característica significa que ambos, los diáconos y las esposas, tendrán el respeto y la confianza de la iglesia y la comunidad.

Las esposas deben evitar el chisme malicioso. Los diáconos deben ser "sin doblez" y las esposas no deben ser "calumniadoras". La palabra *diabólico* se deriva de la palabra usada aquí para chisme o calumnia. La palabra se traduce comúnmente como acusador falso o malo. Los diáconos y sus esposas deben ser siervos que edifiquen a la gente y no ser calumniadores que esparcen falsos cargos que dañan la reputación de los demás.

Las esposas de los diáconos deben también ser "sobrias". A través de la fortaleza de la presencia de Dios, ellas pueden tener autocontrol. Son sobrias en el sentido de ser libres de excesos físicos, mentales, emocionales y espirituales. En lugar de estar confundidas, y hacer decisiones apuradas, ellas ejercitan un control efectivo sobre sí mismas. Esta cualidad contribuye a la estabilidad en el hogar y en la iglesia.

La fidelidad ("fieles en todo") es otra cualidad necesaria en las esposas de los diáconos. La gente en la iglesia y en la comunidad las mirará como un ejemplo y ayuda en tiempos de necesidad. Ellas serán conocidas por ser dignas de confianza. Esto incluye lealtad a Dios, al hogar, a la iglesia y a otra gente.

## La Relación del Diácono con Sus Hijos

Los diáconos deben gobernar bien a sus hijos (1 Ti. 3:12). Muchos diáconos en perspectiva se sienten especialmente descalificados en este punto. Las molestias de un párvulo, la charla permanente de un niño, el cambio de carácter de un adolescente pueden frecuentemente producir las peores reacciones en los padres. Ser padre es una experiencia que humilla.

Los diáconos no serán padres perfectos, pero los miembros de la iglesia encaran la misma lucha para ser padres cristianos efectivos. Ellos quieren ver cómo sus diáconos se relacionan con sus hijos.

En el pasaje sobre la sumisión mutua entre los cristianos, Pablo discutió también la relación entre padres e hijos (Ef. 6:1-4). La aplicación del sexto mandamiento de honrar a los padres significa que los hijos deben obedecerlos. El énfasis singular de Pablo era que los hijos cristianos elegirían obedecer a sus padres debido a su relación con el Señor. En el pasaje paralelo, Pablo escribió: "Hijos, obedeced a vuestros padres en todo, porque esto agrada al Señor" (Col. 3:20).

Durante los años de desarrollo del niño la principal carga de responsabilidad descansa sobre el padre cristiano: "padres, no provoquéis a ira a vuestros hijos, sino criadlos en disciplina y amonestación del Seño" (Ef. 6:4). En el capítulo previo, Pablo usó la palabra traducida "criadlos" para describir cómo una persona nutre su propio cuerpo y cómo Cristo cuida de la iglesia.

La disciplina paternal incluye establecer límites para el niño y buscar que aprenda a vivir dentro de los mismos. Esta voluntad incluye dirección, enseñanza y, a veces, obligación por medio de un castigo adecuado. El propósito de la disciplina es ayudar al niño a madurar hasta ser una persona que puede y debe disciplinarse a sí misma.

Muchos padres le han dicho a sus hijos: "Si yo no te amara, no me preocuparía por lo que haces." El escritor de

Hebreos recordó a sus lectores el proverbio: "Porque el
Señor al que ama, disciplina" (He. 12:6; de Pr. 3:12).
Hablando de la disciplina tanto del Señor como del padre,
concluyó: "Es verdad que ninguna disciplina al presente
parece ser causa de gozo, sino de tristeza; pero después da
fruto apacible de justicia a los que en ella han sido
ejercitados" (He. 12:11).

Cuando un niño es castigado, puede encontrar difícil
creerle al padre que le dice: "Esto me duele tanto como a
ti." Pero la búsqueda de proveer la guía que el niño necesita
es un proceso doloroso para los padres. Los padres quieren
instruir "al niño en su camino" de modo que "cuando fuere
viejo no se apartará de él" (Pr. 22:6). Ellos tratan de evitar
ser demasiado permisivos o demasiado estrictos. A veces los
padres sienten que es difícil separar la firmeza necesaria de
su propio enojo. Ellos buscan un balance apropiado entre la
libertad permisiva y la limitativa.

Los padres cristianos no sólo deben aplicar la disciplina, sino también han de dar "amonestación del Señor".
Esto incluye advertencia, corrección, amonestación y re-
cuerdo de lo que es bueno y malo ante los ojos de Dios.

Después de proclamar la ley de Dios al pueblo de
Israel, Moisés agregó estas palabras del Señor: "Y estas
palabras que yo te mando hoy, estarán sobre tu corazón; y
las repetirás a tus hijos, y hablarás de ellas estando en tu
casa, y andando por el camino, y al acostarte, y cuando te
levantes" (Dt. 6:6, 7). Los padres tienen la responsabilidad
del crecimiento del niño. Ellos no pueden transferir el
desarrollo moral y espiritual de sus hijos a la escuela o a la
iglesia.

Los padres buscarán proveer la clase de guía y de
ambiente hogareño en el cual el niño pueda aprender el
camino de Dios. La instrucción será, a la vez, en palabras y
en ejemplo. Un muchacho adolescente expresó el aprecio
hacia sus padres: "Estoy contento de tener padres cristianos que no solamente me dicen cómo debo vivir, sino

que puedo ver que ellos también lo hacen." Los diáconos pueden, antes que todo, ser siervos ejemplares en su propio hogar.

Pablo advirtió a los padres que algunas formas de disciplina e instrucción pueden producir enojo en sus hijos. Si un niño siente que las expectativas de sus padres son imposibles de cumplir, el resultado inevitable es el desánimo. La crítica continua puede quebrantar el espíritu del niño. El establecer reglas, decir que no, castigos y retos correctivos son partes de la disciplina; pero estas formas negativas deben ser más que equilibradas con expresiones positivas de aliento. Los hijos necesitan padres que los escuchen con atención, que respondan a sus preguntas, que jueguen con ellos y que les demuestren cariño.

En un artículo en *The Deacon* ("El Diácono") se hace la pregunta: "¿Cómo deletrean los niños la palabra amor?" Padres e hijos jugaban a la pelota en el parque. Aquella noche la hija de doce años le dijo a su padre: "Gracias papi, por jugar con nosotros." El escritor concluyó que los niños deletreaban amor como TIEMPO.[2] Cuando los padres dan tiempo a sus hijos, se dan a sí mismos. Ese es el único regalo incomparable que un padre puede ofrecer.

### La Vida Familiar del Diácono

Los diáconos deben también gobernar bien sus casas (1 Ti. 3:12). La vida familiar del diácono puede demostrar la vida cristiana que se practica en la misma por medio de las relaciones, prioridades en la toma de decisiones y por la manera de solucionar en forma redentora las crisis y los problemas.

Uno de los desafíos de la vida familiar es encontrar el balance correcto entre la relación del esposo y la esposa y la relación entre padres e hijos. Algunos dan demasiado tiempo y energías a los hijos y son negligentes en cuanto a su matrimonio. Cuando los hijos observan un lazo fuerte y creciente entre su padre y su madre, ellos tienen un sentido mayor de seguridad. Los padres pueden demostrar una sana interdependencia y una sumisión mutua en amor.

Aquello que Pablo dijo en cuanto a los miembros de la iglesia como el cuerpo de Cristo puede decirse en cuanto a los miembros de la familia: "si un miembro padece, todos los miembros se duelen con él, y si un miembro recibe honra, todos los miembros con él se gozan" (1 Co. 12:26). En un hogar cristiano, cuando los miembros de la familia reconocen sus heridas, fracasos e imperfecciones, ellos deben recibir apoyo, perdón y aliento. Esto puede hacerse frecuentemente en el culto familiar. El éxito o reconocimiento de un miembro de la familia puede ser una ocasión para que toda la familia celebre y exprese gratitud a Dios.

Una parte necesaria de gobernar bien a la familia es desarrollar alguna estructura para un funcionamiento adecuado. Esto puede incluir la división de las tareas, la determinación de un horario para el día, el desarrollo de rituales familiares y el respeto de los derechos de los demás.

Una señal de una vida familiar efectiva es el crecimiento en la madurez de los hijos. La familia ha provisto un ambiente sano que ha animado el crecimiento en la toma de decisiones, la aceptación de responsabilidades y la disciplina personal. De ese modo, el niño que alcanza la madurez está preparado para dejar a su padre y a su madre y establecer su propio hogar.

Mucha gente se goza del tiempo pasado en el hogar del diácono porque "su familia es diferente". La diferencia está en la cualidad de las relaciones cristianas. La familia del diácono puede ayudar a otras familias a ver que se puede lograr un balance apropiado de una vida familiar significativa, un ministerio de amor y una vida activa en la iglesia.

---

[1] Ver Charles W. Deweese, *The Emerging Role of Deacons* Nashville: Broadman Press, 1979), pp. 15, 30, 38, 49, 57-59.

[2] H. Warren Rice, "How Do Children Spell Love?", *The Deacon*. October 1979, p. 44.

## Actividades Personales de Aprendizaje

1. Debido al papel del diácono, se ponen también expectativas elevadas para su _____

2. La relación de Cristo con la _____ es una guía para las relaciones entre los esposos y sus esposas.

3. La mayoría de las iglesias animan al diácono y a su esposa a ministrar como un _____.

4. Los diáconos deben gobernar bien a sus _____.

5. Los padres cristianos deben proveer _____ tanto como disciplina.

6. Los diáconos deben primero ser siervos ejemplares en sus propios _____.

# 4

# SIERVOS EJEMPLARES EN LA MORALIDAD PERSONAL Y PUBLICA

Los diáconos deben ser personas de un carácter cristiano ejemplar en su vida personal y pública. Pablo escribió que las iglesias del siglo I esperaban que sus diáconos fueran "honestos, sin doblez, no dados a mucho vino, no codiciosos de ganancias deshonestas" (1 Ti. 3:8).

Estos requisitos bíblicos sugieren cuatro calificaciones para identificar a aquellos que deben ser diáconos. Ellos deben tener una conducta respetada, una lengua controlada, un cuerpo controlado por el Espíritu y prioridades correctas.

## Una Conducta Respetada

Los diáconos deben ser serios y honrados. A veces la palabra se traduce "seriedad", como en la carta de Pablo a Tito: "presentándote tú en todo como ejemplo de buenas obras; en la enseñanza mostrando integridad, seriedad, palabra sana e irreprochable, de modo que el adversario se avergüence, y no tenga nada malo que decir de vosotros" (Tit. 2:7, 8).

Esto significa que los diáconos se conducirán en una manera que los hará dignos del respeto de los demás. Pedro desafió a sus lectores a mantener "buena vuestra manera de vivir entre los gentiles; para que en lo que murmuran de vosotros como de malhechores, glorifiquen a Dios en el día de la visitación, al considerar vuestras buenas obras". (1 P. 2:12).

La palabra griega se deriva de una raíz que comúnmente se traduce "piedad". Pablo animó a Timoteo a
entrenarse en la piedad. Aunque la salud del cuerpo es
importante, Pablo enfatizó que la salud espiritual tiene
mayores beneficios. La piedad es necesaria tanto para la
vida presente como para la vida venidera (1 Ti. 4:7, 8).

Cornelio, el centurión, fue descrito como un hombre
pío o devoto. Adoraba a Dios, daba ayuda generosa a otros y
era consecuente en la oración (Hch. 10:2).

Un pastor recordaba a dos diáconos que habían
tomado el oficio con seriedad: "Cada uno era cooperador,
accesible a los que estaban en necesidad, compasivo, fiel en
todos los aspectos al Señor y a la iglesia. Aunque ambos
tenían un trasfondo educacional limitado, eso no les
impedía tener la imagen de hombres que caminaban con
seriedad y que daban un testimonio cristiano en su vida
diaria."[1] El pastor escribió que el primero de esos diáconos
"era respetado en la comunidad. . . Había ganado la reputación de ser un hombre honesto y justo. Cuando hablaba, la
gente lo escuchaba, porque sabían que tenía algo que decir
. . . (él) vivía su cristianismo. Lo vivía en sus pensamientos,
pero también en sus palabras y en sus acciones."[2] Acerca
del otro diácono, el pastor escribió: "Sus oraciones eran
comunes; sin embargo, ellas transmitían su interés, su
compasión y su amor en una manera tal que no podía haber
duda de que esas oraciones venían del corazón de un
hombre piadoso. Su entusiasmo era contagioso, animando
a la congregación a hacer más para el Señor que lo que
ellos habían hecho antes."[3]

Jesús criticó duramente a aquellos que daban limos-
nas, oraban y ayunaban para atraer la aclamación de los
demás (Mt. 6:1, 2, 5, 16); pero él dijo a sus seguidores que
ellos eran la luz del mundo y que esa luz no debía estar
escondida. Les mandó: "Así alumbre vuestra luz delante de
los hombres, para que vean vuestras buenas obras, y
glorifiquen a vuestro Padre que está en los cielos." (Mt.
5:16).

Una prueba del carácter verdadero de un diácono es su actitud al tener su vida elevada como una luz. Si sus acciones son impías, él evitará ser visto por los demás; pero si es una persona devota, no llamará la atención pero estará dispuesto a que se vean sus acciones y que el crédito por las mismas sea para el Señor (Jn. 3:19-21).

Los diáconos cuya conducta sea respetada por los demás serán elegidos para servir en papeles de liderazgo, tanto en sus iglesias como en sus comunidades. Se les debe animar y apoyar para que acepten esas responsabilidades. Su servicio digno y piadoso que glorifique a Dios será una fuente de fortaleza y estabilidad, no sólo para las iglesias sino también para las comunidades.

## Una Lengua Controlada

Los diáconos no deben tener doble lengua ("doblez"). Esta expresión significa literalmente "doble palabra". Los diáconos deben ser consistentes en sus palabras a los demás, si han de ser considerados como personas de integridad en lugar de duplicidad. *Duplicidad* es definida como "doblez contradictorio del pensamiento, palabra o acción".

La iglesia no espera que los diáconos sean oradores elocuentes, pero los miembros quieren que hablen con claridad en lugar de confusión. Pablo advirtió: "Y si la trompeta diere sonido incierto, ¿quién se preparará para la batalla? Así también vosotros, si por la lengua no diereis palabra bien comprensible, ¿cómo se entenderá lo que decís? (1 Co. 14:8, 9). Pablo le dijo a Timoteo que la gente en la iglesia que contiende sobre palabras solamente debilita la fe de otros. En lugar de ello, Dios aprueba a aquellos que pueden proclamar la Palabra de Dios correctamente (2 Ti. 2:14, 15).

Moisés protestó a Jehová: "¡Ay, Señor! nunca he sido hombre de fácil palabra. . . porque soy tardo en el habla y torpe de lengua." Dios le respondió: "¿Quién dio la boca al hombre? . . . ¿No soy yo Jehová? Ahora pues, vé, y yo estaré con tu boca y te enseñaré lo que hayas de hablar." (Ex. 4:10-12). Cuando los diáconos son sensibles a la guía de la presencia de Dios, ellos pueden comunicarse clara y adecuadamente.

Santiago parece tener en mente la idea de doble lengua o doble palabra cuando dijo que la lengua puede ser usada para bendecir "al Dios y Padre, y con ella maldecimos a los hombres, que están hechos a la semejanza de Dios. De una misma boca proceden bendición y maldición. Hermanos míos, esto no debe ser así. ¿Acaso alguna fuente echa por una misma abertura agua dulce y amarga?" (Stg. 3:9-11).

Jesús amplió el mandamiento que prohibía el asesinato incluyendo las palabras de desprecio hacia otro ser humano. Luego afirmó que una persona así debe tomar la iniciativa para reconciliarse con su hermano antes que sea aceptable su adoración a Dios (Mt. 5:21-24). Tanto Santiago como Juan afirmaron que las personas no pueden pretender tener fe en Dios y haber recibido su amor si sus palabras de misericordia no están respaldadas con hechos de misericordia (Stg. 2:14-17; 1 Jn. 3:17, 18).

El noveno mandamiento prohíbe el falso testimonio. El testigo culpable de acusar a otro falsamente debía recibir el castigo que se pretendía para el acusado (Dt. 19:16-19). Una de las palabras griegas que más frecuentemente se traduce "diablo", a veces es traducida como "falso acusador, chismoso o calumniador". Es la palabra que se usa en las calificaciones para las esposas de los diáconos (1 Ti. 3:11). Ciertamente, la persona que daña la reputación de otra puede ser llamada diabla. La meta del diácono es edificar a la gente, y de ese modo podrá ser llamado Bernabé, un hijo de consolación (Hch. 4:36).

La gente que pretende ser buena pero es deshonesta y engañosa tiene una doble lengua. Jesús condenó a los escribas y a los fariseos por una hipocresía semejante. Los acusó de diezmar cuidadosamente, pero de ser negligentes en cuanto a la justicia, la misericordia y la felicidad. Aparentaban limpieza en lo externo, pero interiormente estaban llenos de robo y autoindulgencia. Eran como tumbas blanqueadas para aparentar belleza, pero contenían los huesos y la putrefacción de los muertos. Aparentaban que eran hombres buenos; pero estaban realmente llenos de fraude y crimen (Mt. 23:23-28).

Las iglesias necesitan diáconos que sean verdaderos en su palabra y que sean confiables. Una persona que falsea su declaración de impuestos o aumenta deliberadamente su cuenta de gastos traiciona la confianza que se ha depositado en ella. Alguna gente es deshonesta con el gobierno o con una empresa, pero nunca pensaría en ser deshonesta con otra persona. A veces conservarse honesto y aferrado a lo que se promete requerirá sacrificios (Sal. 15:4). Algunos diáconos han elegido cambiar de trabajo en lugar de participar de las prácticas deshonestas y faltas de ética de sus empleadores.

Los diáconos deben también aferrarse a la importancia de ser dignos de confianza. Serán confiados con el crecimiento de las vidas personales de los miembros de la iglesia. Sólo deben repetir información confidencial cuando tengan permiso para hacerlo.

Santiago dijo que la persona que es capaz de controlar aquello que dice, es capaz de controlar todo su cuerpo. El también afirmó que nadie puede domar la lengua, implicando que ese control sólo puede venir con la presencia interior del Señor. La lengua controlada es comparada al freno en la boca de los caballos o con el timón de un barco. Bajo el control de un jinete o un piloto hábil, el caballo obedecerá y el barco marchará en su curso (Stg. 3:2-8).

Los diáconos que tienen sus lenguas bajo control sabrán cuándo deben hablar y cuándo deben guardar silencio y escuchar. Ellos sentirán cuándo es adecuado confortar y cuándo es apropiado confrontar. Buscarán siempre hablar la palabra adecuada en el momento apropiado y en un espíritu de amor.

## Un Cuerpo Controlado por el Espíritu

Pablo indicó que los diáconos del siglo — no debían ser "dados a mucho vino" (1 Ti. 3:8). La mayoría de las iglesias bautistas requieren que los diáconos se abstengan totalmente de bebidas alcohólicas. Mucha gente desearía que Pablo hubiera omitido "mucho", de modo que la calificación hubiera apoyado claramente la abstinencia total. Como el agua era relativamente escasa y frecuentemente contaminada en los tiempos bíblicos, el vino usado era como bebida básica en las comidas diarias. Comúnmente era jugo de uva fermentado.

A veces se traduce la palabra *dado* como "adicto". Eso puede dar la impresión de que es aceptable beber socialmente en forma moderada, mientras no conduzca a la borrachera o a la adicción; pero si Pablo hubiera querido decir que los diáconos no se emborracharan, seguramente podía haber usado la palabra que utilizó otras veces, la que claramente significaba intoxicación o borrachera (ver Ro. 13:13; Gá. 5:21). Si hubiera significado adicción podía haber usado la palabra que indicaba esclavitud (Tito 2:3).

La palabra *dado* significa "poner atención a o estar interesado en cuanto a". Unos pocos versículos antes, Pablo aplicó una palabra griega diferente que significa "estar cerca, al lado o en la vecindad del vino" (1 Ti. 3:3). Aparentemente, Pablo estaba intentando poner límites severos en cuanto al uso del vino por parte de los obispos (pastores) y diáconos. Las imágenes de las palabras de Pablo son similares a la alabanza del salmista de aquellos que ni aun se asocian con el mal: "Bienaventurado el varón que no anduvo en consejo de malos, ni estuvo en camino de pecadores, ni en silla de escarnecedores se ha sentado" (Sal. 1:1).

Los escritores bíblicos algunas veces alaban al vino, pero más frecuentemente lo condenan con fuerza. El vino aparece a menudo como paralelo a "bebida fuerte", que se refiere a intoxicantes alcohólicos más intensos. El proverbio familiar declaraba: "El vino es escarnecedor, la sidra alborotadora, y cualquiera que por ellos yerra no es sabio" (Pr. 20:1). Isaías advirtió en cuanto a la ceguera espiritual de aquellos que usaban diariamente vino y bebidas fuertes: "Y no miran la obra de Jehová, ni consideran la obra de sus manos" (Is. 5:12). Pablo incluyó la borrachera en la lista de las obras de la carne, que contrastó con el fruto del Espíritu (Gá. 5:19-23). Sugirió que los creyentes deben separarse de la gente inmoral, los idólatras y los bebedores si éstos pretenden ser hermanos, dado que sus vidas contradicen lo que reclaman ser (1 Co. 5:11).

Pablo también destacó que la responsabilidad hacia otros es más importante que la libertad personal: "Bueno es no comer carne, ni beber vino, ni nada en que tu hermano tropiece, o se ofenda, o se debilite" (Ro. 14:21). El vino y las bebidas fuertes esclavizan y destruyen los cuerpos. Por lo tanto, sólo el interés por los hermanos más débiles debe ser razón suficiente para que un diácono inteligente se abstenga totalmente de cualquier bebida alcohólica.

Los efectos trágicos del vino sobre el cuerpo y la mente están descritos gráficamente en Proverbios 23:29-35: "¿Para quién será el ay? ¿Para quién el dolor? ¿Para quién las rencillas? ¿Para quién las quejas? ¿Para quién las heridas en balde? ¿Para quién lo amoratado de los ojos? Para los que se detienen mucho en el vino, para los que van buscando la mistura. No mires al vino cuando rojea, cuando resplandece su color en la copa. Se entra suavemente; mas al fin como serpiente morderá, y como áspid dará dolor. Tus ojos mirarán cosas extrañas, y tu corazón hablará perversidades. Serás como el que yace en medio del mar, o como el que está en la punta de un mastelero. Y dirás: Me hirieron, mas no me dolió; me azotaron, mas no lo sentí; cuando despertare, aún lo volveré a buscar."

El cuerpo del cristiano es el templo del Espíritu Santo (1 Co. 6:19). El creyente no debe disipar ese cuerpo o contaminar ese templo por embriagarse con vino. En lugar

de ello, debe ser lleno con la presencia de Dios y ser
controlado por el Espíritu (Ef. 5:18). Contrastando con los
resultados del vino descritos en Proverbios, Pablo escribió
que el control por el Espíritu de Dios encuentra expresión
en adorarle con alabanza, acción de gracias y relaciones
mutuas de sumisión (Ef. 5:19—6:9).

Pablo destacó el cuidado que se debía tener por el
cuerpo físico. Por razones de salud sugirió a Timoteo que
no bebiera "agua, sino usa de un poco de vino por causa de
tu estómago y de tus frecuentes enfermedades" (1 Ti.
5:23). Es aparente que Timoteo había decidido abstenerse
totalmente del vino. Pablo le recordó que el uso medicinal
del vino era a veces adecuado, pero este consejo no puede
ser usado para justificar el uso del vino o de otras bebidas
alcohólicas en el siglo XX.

Un paralelo actual puede ser el uso de drogas por
receta médica. Pablo ciertamente vería ese valor para la
salud y animaría un uso adecuado para ese propósito. Sin
embargo, posiblemente advertiría contra un uso excesivo
que condujera a la dependencia y, por lo tanto, al control
por las drogas en lugar del Espíritu Santo.

Pablo podría también sugerir que los diáconos eviten
cualquier otro exceso que contamine o controle sus cuerpos. Las iglesias de la actualidad necesitan diáconos que
tengan cuerpos controlados por el Espíritu.

### Prioridades Correctas

Los diáconos no deben ser "codiciosos de ganancias
deshonestas" (1 Ti. 3:8). En realidad, no se debe traducir la
palabra *codiciosos*. Aparentemente, Pablo deseaba que se
aplicara también aquí la palabra *dados* de la frase previa.
Significa poner atención o estar interesados en una cosa.
Incluye la codicia, pero es mucho más amplio.

En las calificaciones para los obispos, Pablo usó una
palabra diferente, significando "ni amante del dinero" (1 Ti.
3:3 *Biblia de las Américas*). Pablo advirtió a Timoteo que
"raíz de todos los males es el amor al dinero" (1 Ti. 6:10).

Ese anhelo puede conducir a las personas a extraviarse de su fe en Dios.

La preocupación principal de Pablo es que los diáconos tengan prioridades correctas. La actitud que tenga hacia el dinero es una buena medida de esas prioridades. Jesús dijo: "No podéis servir a Dios y a las riquezas" (Mt. 6:24). Mucha gente está tan entregada a lo que pueda lograr con el dinero, placer, posición, poder, que el dinero la esclaviza. Jesús afirmó: "No os afanéis por vuestra vida, qué habéis de comer o qué habéis de beber; ni por vuestro cuerpo, qué habéis de vestir. ¿No es la vida más que el alimento, y el cuerpo más que el vestido? . . . Porque los gentiles buscan todas estas cosas; pero vuestro Padre celestial sabe que tenéis necesidad de todas estas cosas. Mas buscad primeramente el reino de Dios y su justicia, y todas estas cosas os serán añadidas" (Mt. 6:25, 32, 33).

Los diáconos que confían en Dios en lugar del dinero como su fuente de seguridad, pueden ser liberados de una preocupación idólatra por las posesiones. Ellos encuentran un nuevo significado en la oración: "El pan nuestro de cada día, dánoslo hoy" (Mt. 6:11). Se dan cuenta de que Dios quiere que cada uno tenga comida, vestido y refugio.

El décimo mandamiento prohíbe la codicia. Santiago afirmó que la obsesión por las posesiones distorsiona las relaciones de la persona con los demás y con Dios: "Codiciáis, y no tenéis; matáis y ardéis de envidia, y no podéis alcanzar; combatís y lucháis . . . Pedís y no recibís, porque pedís mal, para gastar en vuestros deleites" (Stg. 4:2, 3).

Pablo demostró que una persona no necesita despreciar las posesiones ni vivir para ellas. Escribió a la iglesia de Filipos: "He aprendido a contentarme, cualquiera que sea mi situación. Sé vivir humildemente, y sé tener abundancia; en todo y por todo estoy enseñado, así para estar saciado como para tener hambre, así para tener abundancia como para padecer necesidad. Todo lo puedo en Cristo que me fortalece" (Fil. 4:11-13).

La única persona a la cual Jesús le mandó vender todo para seguirle era un joven principal y rico. Aunque era una persona moral, Jesús vio que era un adicto a las posesiones. Necesitaba liberarse de ellas para poner su confianza en Jesús. La gente que es dada a "ganancias deshonestas" está abusando del dinero. La codicia es la adicción al dinero y a las posesiones. David Sapp dice que "la inflación no es nada más que el producto pernicioso de la codicia competitiva. Todos los problemas de necesidad de dinero y presiones salariales pueden reducirse a lo siguiente: cuando la codicia de los obreros, de los empresarios y de los gobernantes compiten la una con la otra, el resultado es la inflación".[4]

La palabra traducida "ganancias deshonestas" significa ganancia monetaria vergonzosa, provecho deshonesto o ventaja sin honor. Pablo no rechazó el valor del empleado que tiene un medio honesto de vida o del patrón que gana lo que es justo. El quiere que los diáconos se formulen preguntas económicas serias a la luz de los principios bíblicos en cuanto a la moralidad personal y pública.

Los diáconos deben preguntarse si su trabajo es honesto y si honra a Dios. También deben examinar sus motivaciones. ¿Están principalmente interesados acerca de sí mismos y de sus familias y, por lo tanto, voluntariamente ignorando o tomando ventaja sobre los demás? Los profetas pronunciaron un juicio del Señor muy severo sobre tales personas: "Mas tus ojos y tu corazón no son sino para la avaricia, y para derramar sangre inocente, y para opresión y para hacer agravio" (Jer. 22:17).

Sin embargo, los escritores bíblicos demandaron que se usaran las posesiones, grandes o pequeñas, para ayudar a otros. Bernabé y otros en la iglesia primitiva vendieron sus propiedades para ayudar a los necesitados en la congregación (Hch. 4:32-37). Santiago y Juan declararon que aquellos que usan sus recursos para ayudar a los hambrientos y a los necesitados están demostrando que tienen fe y poseen el amor de Dios (Stg. 2:14-17; 1 Jn. 3:17, 18). Jesús contó la parábola del buen samaritano que ayudó generosamente a un extranjero en necesidad y aun aceptó continuar con una responsabilidad financiera hacia él.

La mayoría de las iglesias esperan que sus diáconos den por lo menos el diezmo de sus ingresos. Diezmar es una manera por la que los cristianos reconocen que todos sus ingresos y sus posesiones son dones de Dios. Muchos diáconos han descubierto el don de dar voluntariamente más allá del diezmo, para las misiones y otras necesidades de la iglesia. Ellos, en forma callada y generosa usan su tiempo y sus recursos para ministrar a las personas. Algunos dan voluntariamente sus habilidades especiales a la iglesia, comunidad o a un campo misionero.

Los diáconos que tienen prioridades correctas serán libres de la ansiedad, egoísmo y codicia. Ellos desearán el reino de Dios y su dominio sobre la vida más que ninguna otra cosa.

Pablo le dijo a Timoteo: "Sé ejemplo de los creyentes en palabra, conducta, amor, espíritu, fe y pureza" (1 Ti. 4:12). Los diáconos tienen el desafío y la oportunidad de ser ejemplos de la moralidad personal y pública por medio de una conducta respetada, una lengua controlada, un cuerpo controlado por el Espíritu y por prioridades correctas.

---

[1] Dennis L. Brewer, *The Deacon*, January 1979, p. 44.

[2] *Ibid.*

[3] *Ibid.*

[4] W. David Sapp, "Silence in a Time of Crisis", *Light*, October 1979, p. 2.

## Actividades Personales de Aprendizaje

1. La _____ o la salud espiritual,
   es aún más importante que la salud física.
2. Los diáconos deben ser consistentes en su _____
   si los demás han de considerarlos como personas íntegras.
3. La mayoría de las iglesias consideran que los diáconos deben
   _____ de bebidas alcohólicas.
4. Los diáconos no deben _____el dinero o las
   cosas materiales.
5. El _____ es una manera en que los
   diáconos reconocen que todos sus ingresos y posesiones son
   dones de Dios.

# 5
# SIERVOS EJEMPLARES EN UNA VIDA ACEPTADA POR DIOS Y POR LA IGLESIA

Los miembros de la iglesia que votan para elegir a sus diáconos llevan una parte de la responsabilidad. Pablo escribió que los diáconos en perspectiva fueran "sometidos a prueba primero, y entonces ejerzan el diaconado, si son irreprensibles" (1 Ti. 3:10).

La elección de los diáconos no es un concurso de popularidad. Más bien, la iglesia debe elegir a aquellos que han dado evidencias de estar calificados para este oficio importante. Esta es la razón primordial por la cual la mayoría de las iglesias requieren que las personas sean miembros por un período de tiempo antes de ser elegibles para ser nombrados como diáconos. Esto les brinda a los miembros de la iglesia una oportunidad para observar el crecimiento de una persona hacia una fe madura, una vida familiar cristiana, una moralidad personal y pública y un ministerio hacia los demás.

Una prueba o examen como este es importante porque las cualidades que se esperan de los diáconos son las mismas que se esperan de todos los cristianos. Los diáconos que muestran esas cualidades serán ejemplos para el resto de la congregación.

Jesús y los escritores del Nuevo Testamento advirtieron que no todos en la iglesia están viviendo satisfactoriamente la vida cristiana. Jesús dijo: "Guardaos de los falsos profetas, que vienen a vosotros con vestidos de ovejas, pero por dentro son lobos rapaces. Por sus frutos los conoceréis.

¿Acaso se recogen uvas de los espinos, o higos de los abrojos? Así, todo buen árbol da buenos frutos, pero el árbol malo da frutos malos . . . No todo el que me dice: Señor, Señor, entrará en el reino de los cielos, sino el que hace la voluntad de mi Padre que está en los cielos" (Mt. 7:15-17, 21).

Los miembros de la iglesia deben examinar el fruto de un diácono en perspectiva (y un diácono en perspectiva debe examinarse a sí mimo) para ver si está viviendo una vida que sea aceptable a Dios y a la iglesia.

## Aceptado por Dios

La salvación es un don de Dios que no puede ser ganada por méritos personales. Uno solamente puede recibir el don de Dios con fe y entrega plena con gratitud. Esa respuesta incluye el compromiso de conocer y obedecer la voluntad de Dios.

La palabra que es traducida "sometidos a prueba" viene de una raíz que significa "observar". El cristiano vive bajo el ojo observador de Dios. El salmista comprendió y conoció el valor del examen y el juicio de Dios: "Oh Jehová, tú me has examinado y conocido . . . Examíname, oh Dios, y conoce mi corazón; pruébame y conoce mis pensamientos; y ve si hay en mí camino de perversidad, y guíame en el camino eterno" (Sal. 139:1, 23, 24).

Aquellos que viven en la luz no temen que Dios vea sus pensamientos y sus acciones. La meta y la ambición que tienen es aprender y hacer lo que agrada a Dios (Ef. 5:10; 2 Co. 5:9). Esta es la manera de expresar gratitud por el don del perdón y de la vida nueva. De ese modo, el acto aceptable de adoración sacrificante es ofrecer a Dios una vida santa (Ro. 12:1). Cuando se resiste la presión de conformarse al mundo y se cumple la transformación por el Espíritu de Dios, el cristiano puede tener una comprensión clara de su voluntad. La voluntad de Dios es aquello que es bueno para la persona, es aceptable a Dios y es perfecto, como Dios es perfecto (Ro. 12:2; Mt. 5:48).

Jesús se dio a sí mismo como el ejemplo de obediencia a Dios y dependencia en la presencia divina, lo cual es agradable a Dios (Jn. 8:28, 29). Las iglesias buscarán los diáconos de entre los miembros de la misma que están siguiendo el ejemplo de Cristo, y que de ese modo son aceptables y agradables ante Dios.

## Aceptado por la Iglesia

Los miembros de la iglesia tienen la responsabilidad de decidir quién es aceptado por Dios y de ese modo aceptable para la iglesia. En una de sus parábolas, Jesús contó acerca del hombre que compró cinco yuntas de bueyes y necesitaba probarlas (Lc. 14:19). Necesitaba probarlas del mismo modo como una persona prueba un automóvil que desea comprar. Las iglesias examinarán el carácter cristiano y el ministerio previo de cada persona que está siendo considerada para el oficio de diácono.

Los miembros de la iglesia no pueden conocer el corazón o los pensamientos de una persona. Pueden evaluar solamente a base de las palabras, actitudes y acciones. Asumirán que los frutos que pueden ver son evidencia de una relación personal con Cristo.

Una de las maneras más obvias por las cuales los miembros de la iglesia juzgarán a los diáconos en perspectiva es la asistencia a las actividades de la iglesia. Al principio esto puede parecer un enfoque superficial. Aunque el registro de asistencia no se convertirá en la única prueba de compromiso, la participación regular en los ministerios de la iglesia revela mucho.

La gente que es fiel a los cultos dominicales de la iglesia comunica su deseo de alabar y agradecer a Dios, de compartir la vida con sus amigos cristianos y de ser confortado y confrontado con la Palabra de Dios. La asistencia constante a la escuela dominical indica la conciencia de la necesidad continua de aprender más acerca de Dios, de la relación que tiene con él y del camino del Señor para su vida. La participación activa en las actividades de capacitación de la iglesia muestra que considera importante el estar equipado para ser un miembro de la iglesia más efectivo. La asistencia al culto semanal de estudio bíblico y oración revela el compromiso de orar por las personas en la familia de la iglesia y la necesidad continua de renovación espiritual.

Hay muchas iglesias que esperan que sus diáconos hagan un compromiso verbal de entregar por lo menos el diezmo de sus ingresos. Otras iglesias esperan que los diáconos estén comprometidos a crecer en su mayordomía del dinero. Por supuesto, los miembros de la iglesia no saben cuánto dinero ofrendan los demás a la iglesia. Estarán impresionados principalmente por las actitudes que tengan hacia el dinero los diáconos en perspectiva, y por el compromiso que asuman hacia los programas y esfuerzos misioneros que son apoyados por las ofrendas de la iglesia. Pablo alabó a las iglesias de Macedonia por su generosidad en dar aun más allá de sus medios limitados a fin de ayudar a los cristianos pobres en Jerusalén (2 Co. 8:1-4). Animó a los corintios a compartir con ofrendas generosas y de ese modo probar "la sinceridad del amor vuestro" (2 Co. 8:8).

Los miembros de la iglesia evaluarán también la sanidad doctrinal de los diáconos en perspectiva. Juan advirtió: "no creáis a todo espíritu, sino probad los espíritus si son de Dios; porque muchos falsos profetas han salido por el mundo" (1 Jn. 4:1). Juan aplicó este principio a doctrinas claves tales como la encarnación (1 Jn. 4:2), la necesidad de reconocer y confesar los pecados (1 Jn. 1:8-10), y la liberación del cristiano del poder del pecado (1 Jn. 3:4-10). Dios aprueba a aquellos que con claridad creen, hablan y viven su palabra de verdad (2 Ti. 2:15).

Las iglesias deben cuidarse de no desarrollar doctrinas y tradiciones que requieren más que lo que Dios demanda. Jesús condenó a los escribas y fariseos por enseñar "como doctrinas, mandamientos de hombres" (Mt. 15:9). En el concilio de Jerusalén la iglesia primitiva debatió si los gentiles debían convertirse en judíos a través de la circuncisión, a fin de ser cristianos. Pedro se levantó y preguntó: "¿por qué tentáis a Dios, poniendo sobre la cerviz de los discípulos un yugo que ni nuestros padres ni nosotros hemos podido llevar? Antes creemos que por la gracia del Señor Jesús seremos salvos, de igual modo que ellos" (Hch. 15:10, 11). No es sabio concentrar la atención sobre asuntos marginales que promueven división en lugar de unidad.

Dado que los diáconos son siervos ejemplares en la iglesia, los miembros buscarán elegir a aquellos que ya están ministrando a las necesidades de la gente. Ellos observarán el apoyo y el ministerio que estos diáconos en perspectiva están brindando al pastor y a otros líderes de la iglesia. También notarán la bondad y el apoyo práctico que den a los hermanos de la iglesia y a la gente en la comunidad que están más necesitados.

Los diáconos en perspectiva deben ser irreprensibles no sólo en la participación en la iglesia, en la sana doctrina y en el ministerio hacia las personas, sino también en cuanto al carácter cristiano. Sus vidas deben ser ejemplares, de modo que ninguna acusación caiga sobre ellos, tales como la inmoralidad o deshonestidad. Los diáconos tampoco deben estar involucrados en actividades que debiliten su testimonio o comprometan a la iglesia. En la lista de los pecados de la carne, Pablo incluyó pleitos, celos, iras, contiendas, disensiones, herejías, envidias, en la misma forma como la inmoralidad sexual, la idolatría y la borrachera (Gá. 5:19-21). Los que sean irreprensibles demostrarán el fruto del Espíritu: "amor, gozo, paz, paciencia, benignidad, bondad, fe, mansedumbre, templanza" (Gá. 5:22, 23).

Cuando los miembros de la iglesia evalúan a los diáconos en perspectiva para determinar si son aceptables para la iglesia a fin de cumplir el oficio de diácono, no deben ser puestos bajo juicio de una manera negativa. Deben comprender que el patrón por el cual son medidos los diáconos es el mismo que se usa para ellos mismos. Las expectativas elevadas que la iglesia tiene con los diáconos no son mayores que lo que Dios espera de todos los cristianos.

## Confianza para el Ministerio

A esta altura, los lectores de los requisitos para el diaconado que menciona Pablo y los de este libro pueden desesperarse: "¿Puede alguien reunir los requisitos para el diaconado?" El lector puede también reflexionar: "Si alguien puede alcanzar esos requisitos tan altos, ¿no estaría justificadamente orgulloso de lo alcanzado?"

El orgullo y la jactancia están condenados, tanto en el Antiguo como en el Nuevo Testamentos. Jesús contó la parábola del fariseo que oraba públicamente: "Dios, te doy gracias porque no soy como los otros hombres"; y un cobrador de impuestos que oraba en silencio: "Dios, sé propicio de mí, pecador." Jesús dijo, finalmente: "Cualquiera que se enaltece, será humillado; y el que se humilla, será enaltecido" (Lc. 18:9-14). Debido al papel de siervos, los diáconos no buscarán elevarse sino servir donde haya necesidad.

Pablo finalizó la sección sobre las calificaciones para los diáconos hablando de aquellos que ya estaban sirviendo: "porque los que ejerzan bien el diaconado, ganan para sí un grado honroso, y mucha confianza en la fe que es en Cristo Jesús" (1 Ti. 3:13). El resultado de ser aceptado por Dios y por la iglesia no es el orgullo, sino la confianza.

Mateo finalizó el Sermón del monte con este comentario: "Y cuando terminó Jesús estas palabras, la gente se admiraba de su doctrina; porque les enseñaba como quien tiene autoridad, y no como los escribas" (Mt. 7:28, 29). Jesús tenía una confianza tal que no necesitaba afirmar su autoridad sobre los otros. En lugar de eso, expresó confianza en su liderazgo por medio del servicio y la dádiva de su vida por otros (Mr. 10:45).

El poder del Espíritu Santo cambió a los doce de ser

discípulos que lo negaban, que escapaban, que se escondían, en líderes confiados. Ellos estuvieron dispuestos a arriesgar sus vidas y predicar osadamente la Palabra de Dios. Hasta el concilio de los judíos reconoció la confianza de Pedro y de Juan (Hch. 4:13). Ellos trataron de frenar el ministerio de los apóstoles con amenazas. Sin embargo, cuando Pedro y Juan regresaron adonde estaban sus amigos creyentes, ellos oraron: "Señor, mira sus amenazas, y concede a tus siervos que con todo denuedo hablen tu palabra" (Hch. 4:29). Cuando terminaron de orar, "el lugar en que estaban congregados tembló; y todos fueron llenos del Espíritu Santo, y hablaban con denuedo la palabra de Dios" (Hch. 4:31). La palabra traducida "denuedo" aquí es la misma palabra usada para confianza de los diáconos en 1 Timoteo 3:13. El resultado de tal denuedo y confianza en la iglesia primitiva fue la unidad de la congregación, el testificar con poder y el compartir sus posesiones con aquellos que estaban necesitados (Hch. 4:32-35).

Esteban, uno de los siete que fueron elegidos para servir a las viudas de habla griega, habló con tal confianza que los líderes de las sinagogas "no podían resistir a la sabiduría y al Espíritu con que hablaba" (Hch. 6:10). El tenía tanta confianza interior que era capaz de ir a la muerte con una oración de perdón para aquellos que lo apedreaban (Hch. 7:60).

Los diáconos que sirven con confianza "ganan para sí un grado honroso" en la congregación. Esto no significa una posición que los eleva sobre los otros miembros de la iglesia. Es un respeto profundo que los miembros de la iglesia tienen para con los diáconos que han sido sus siervos ejemplares. Los miembros aprecian a sus diáconos por el ánimo demostrado en crecer hacia una fe madura, por su vida familiar cristiana, por su moralidad personal y pública y por el ministerio hacia las personas que es aceptable y agradable a Dios.

## Actividades Personales de Aprendizaje

1. Aquellos que son elegidos como diáconos deben estar ____
   _____ antes de llegar a ser diáconos.
2. El resultado de un ministerio efectivo en la vida del diácono no
   debe ser de orgullo, sino_____.
3. La elección de los diáconos no es un concurso de _____
   _____
4. El diácono cuya vida es _____
   a Dios será también _____ para la iglesia.
5. Los diáconos deben ser _____ a los ministerios
   y las actividades de la iglesia.

# 6

# SIERVOS EJEMPLARES EN EL MINISTERIO A LAS PERSONAS

Frecuentemente, los diáconos trazan su origen hasta los eventos registrados en Hechos 6:1-7. La iglesia en Jerusalén eligió a siete varones para atender a las viudas de habla griega y para impedir que los apóstoles estuvieran sobrecargados con esas responsabilidades.

El relato de Hechos 6 no llama específicamente diáconos a los siete. Pero Lucas usó la misma palabra griega para "servir *(diakonein)* a las mesas" y para el "ministerio *(diakonia)* de la palabra". Sin embargo, desde el siglo III la iglesia asoció a los siete con el oficio de diácono.

Al enfocar el problema de la falta de atención de las viudas en este pasaje, los lectores pasan por alto el hecho importante de que la iglesia estaba cuidando a aquellos en la congregación que tenían necesidades (Hch. 2:45; 4:34, 35; 6:1). Los cristianos continuaron la práctica judía de proveer especialmente para las viudas (ver Dt. 14:29; 24:19-21).

El número creciente de nuevos creyentes (Hch. 2:41; 4:4; 5:14; 6:1) incluía a judíos de otras zonas llamados helenistas, quienes hablaban griego en lugar de arameo, o habían adoptado las costumbres griegas. Posiblemente los hebreos tenían resentimiento y prejuicios hacia aquellos compatriotas porque creían que los helenistas se habían comprometido con la cultura griega, o la falta de atención puede haber sido el resultado de un problema de comunicación.

Aunque la iglesia era una congregación que cuidaba a la gente, esos prejuicios o problemas de comunicación llevaron a la discriminación contra las viudas de los helenistas. Esa discriminación tenía la potencialidad de destruir la unidad del compañerismo que era tan evidente en la comunidad cristiana (ver Hch. 2:1, 46; 4:32).

Los doce convocaron a la congregación para considerar el problema. Aparentemente, estaban ellos dispuestos a demostrar que la discriminación era equivocada sirviendo ellos mismos a las mesas. Sin embargo, esto hubiera interferido con la prioridad de su ministerio de predicación y enseñanza. Los apóstoles sugirieron que la iglesia eligiera a siete hombres altamente calificados para ser responsables de la tarea. La congregación eligió a siete varones con nombres griegos, todos aparentemente del grupo de cristianos helenistas.

Al solucionar las necesidades de aquellas que se habían sentido desatendidas, esos siete nuevos líderes ayudaron a sanar una posible ruptura en la unidad de la iglesia. De ese modo, "crecía la palabra del Señor, y el número de los discípulos se multiplicaba grandemente en Jerusalén" (Hch. 6:7).

El resto de Hechos 6 hasta el capítulo ocho registra la acción de dos de los siete, Esteban y Felipe. Aunque ellos tenían un ministerio específico para el cuidado de la gente, también fueron proclamadores del evangelio. En ese momento la iglesia no hizo una distinción aguda entre las funciones de los doce y las de los siete. Los siete eran para los helenistas lo que los doce eran para los hebreos. Esteban y Felipe discutieron en las sinagogas de los helenistas, predicaron el evangelio y bautizaron a los nuevos creyentes.

Comúnmente las versiones castellanas de la Biblia traducen la palabra griega *diakonos* como "siervo" o "ministro". Sin embargo, en Filipenses 1:1 y 1 Timoteo 3:8-13 los traductores crearon la palabra *diácono* de la palabra griega *diakonos*. Estos pasajes parecen referirse a líderes específicos de la iglesia, o a oficiales que estaban estrechamente relacionados con los obispos (pastores). Aparentemente, a medida que crecía el número de los creyentes y se comenzaban nuevas iglesias, las congregaciones formalizaban el papel del siervo a un oficio más específico de la iglesia. Las elevadas calificaciones para los diáconos indican que las congregaciones del Nuevo Testamento miraban a esos líderes como ejemplos en el ministerio a las personas.

### Redescubrimiento del Diácono Como un Siervo

A veces durante la historia de la iglesia los diáconos perdieron de vista su función primordial de servicio. En *The Emerging Role of Deacons* ("El Surgimiento del papel de los Diáconos"), Charles W. Deweese da un relato completo de la comprensión cambiante del ministerio del diácono a través de los siglos.[1]

Durante los primeros siglos de la vida de la iglesia, los diáconos comprendieron que su trabajo era principalmente de servicio práctico. Su ministerio incluía la visitación de los enfermos, la administración de los fondos de ayuda a los necesitados, la provisión de cuidado pastoral y disciplina preventiva de la iglesia, ayuda en la celebración de la cena del Señor, la adoración y la preparación de los nuevos convertidos.

Los diáconos durante la Edad Media (500-1500) centralizaron su trabajo en la adoración, pero la razón principal por la cual declinó la función de servicio del diácono fue que el diaconado se convirtió en la primera etapa hacia el sacerdocio. En lugar de que los oficios de la iglesia fueran solamente distintivos en cuanto a función, se convirtieron en niveles o grados diferentes de ministerio. Esto condujo a la distinción más aguda entre clérigos y laicos. Otro factor único en la pérdida del papel ministerial del diácono fue el surgimiento de las órdenes monásticas, que asumieron la responsabilidad por el servicio práctico a los necesitados.

El reestudio del Nuevo Testamento por los reformadores en el siglo XVI condujo al redescubrimiento del diácono como un siervo. Tanto Martín Lutero como Juan Calvino vieron el origen de los diáconos en Hechos 6:1-7, y enfatizaron el lugar del diácono en la distribución de la ayuda de la iglesia a los pobres.

Los diáconos de las primeras iglesias evangélicas en Inglaterra y América sirvieron como oficiales de la iglesia. Ellos eran siervos generales de Dios, de la iglesia y de los necesitados, y ayudaban en responsabilidades administrativas limitadas.

A fines del siglo XVIII comenzó a surgir un envolvimiento mayor en las funciones administrativas, movimiento que continuó hasta el siglo XX. Esto condujo al concepto de los diáconos como administradores económicos de la iglesia, actuando como una junta de directores. Así como se hace en el mundo de los negocios, los diáconos estudiaban todas las recomendaciones principales para determinar si debían llevarlas a la congregación. Ellos controlaban las finanzas, las propiedades y otros asuntos administrativos de la iglesia. El pastor era responsable directamente ante los diáconos en lugar de serlo ante la iglesia.

En la última parte del siglo XIX y en este siglo XX los líderes de la iglesia han cuestionado este alcance limitado del ministerio del diaconado. Ellos advirtieron acerca del mal uso de la autoridad por parte de los diáconos y en cuanto a que el concepto de una junta de directores (grupo gubernativo) iba contra una sana eclesiología. La idea de tal junta directiva puede ser apropiada para el mundo de los negocios pero no para la iglesia que está comprometida con el gobierno congregacional.

Esos líderes también desapobaron el gran envolvimiento de los diáconos en los asuntos administrativos y enfatizaron que los diáconos tienen deberes espirituales. A fines de la década de los 50 y principios de la de los 60 Howard Foshee realizó un estudio intensivo en cuanto a los diáconos. El resultado fue su libro *The Ministry of the Deacon* ("El Ministerio del Diácono") que ha tenido una influencia profunda en ayudar a los diáconos de las iglesias a redescubrir su trabajo como siervos.

### Ministerio Compartido con el Pastor

El ejemplo de servicio del Nuevo Testamento y las necesidades actuales indican que los diáconos deben servir al lado del pastor en los ministerios pastorales. Ernest E. Mosley habla de cuidado, proclamación y liderazgo como las responsabilidades entrelazadas y de mutuo apoyo del ministerio pastoral.[2]

Las tres tareas básicas del ministerio pastoral son:

1. *Proclamar* el evangelio a creyentes e incrédulos.
2. *Cuidar* a los miembros de la iglesia y a otras personas en la comunidad.
3. *Guiar* a la iglesia en el logro de su misión.

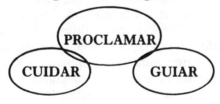

El pastor tiene la responsabilidad de guiar a los equipos de ministerio pastoral en la ejecución de estas tareas. Mosley afirmó: "Como líder del equipo, el pastor es responsable de capacitar a los diáconos para su ministerio brindándoles todos los recursos disponibles a fin de entrenarlos para que sean capaces de ministrar con una eficacia creciente. Guiará a los diáconos a descubrir y cumplir las responsabilidades."[3]

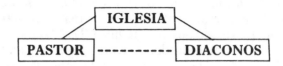

Como colaboradores con el pastor, los diáconos tienen el privilegio y la oportunidad de compartir el ministerio de ser ejemplos a las personas. Los capítulos siete al nueve sugieren algunas maneras en que los diáconos pueden ser ejemplos de la congregación mientras cumplen sus debe- res de cuidado de las familias, proclamación del evangelio y liderazgo de la iglesia.

### Organizarse para Ser Líderes

Los diáconos necesitan organizarse para cumplir sus tareas. La mejor estructura de organización para los diáconos en cualquier iglesia es aquella que funciona en forma más efectiva.

El cuerpo de diáconos debe elegir solamente aquellos oficiales que necesite. Por ejemplo, es posible que el presidente de los diáconos pueda llevar un registro adecuado de lo tratado, y de ese modo no se necesite un secretario. O si la única tarea para el vicepresidente o presidente asociado es presidir la reunión de diáconos en ausencia del presidente, posiblemente no se necesite ese cargo. En las ocasiones raras que el presidente deba faltar, cualquiera de los diáconos puede presidir.

Muchas responsabilidades pueden ser manejadas mejor por una persona sirviendo como coordinadora que por varias personas en una comisión. Algunas tareas pueden ser asignadas a un coordinador o a una comisión temporaria.

Una iglesia pequeña puede elegir solamente un presi- dente. Una iglesia más grande, con mayor cantidad de diáconos, requerirá más oficiales. Estos pueden incluir un presidente asociado, un secretario y otros asociados para coordinar tareas como la capacitación y el ministerio hacia las familias.

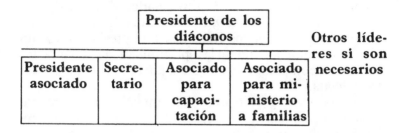

| Presidente de los diáconos | | | | Otros líderes si son necesarios |
|---|---|---|---|---|
| Presidente asociado | Secretario | Asociado para capacitación | Asociado para ministerio a familias | |

La formulación escrita de los deberes para cada oficial o comisión revela si esa posición es realmente necesaria. Evita también la superposición de responsabilidades o dejar de hacer algún trabajo asignado por la iglesia. También es una guía para la persona que tiene ese cargo en el cumplimiento de las tareas asignadas.

Es conveniente hacer la elección de los oficiales para el cuerpo de diáconos poco antes que comience el año en el cual han de servir. Este enfoque tiene dos ventajas distintivas. No hay retraso en el comienzo del nuevo año esperando que sean elegidos los oficiales. También permite que sólo puedan ser elegidos aquellos diáconos que por lo menos ya tienen un año en el oficio. Los diáconos deben buscar en oración y bajo la guía del Espíritu Santo la elección de las personas más calificadas para guiarlos.

Algunas iglesias llaman "presidente electo" al presidente asociado y vicepresidente, lo que significa que esa persona se convertirá en presidente el año siguiente. Esto asegura una transición sin problemas en el liderazgo y provee un tiempo para mayor preparación y entrenamiento. El presidente electo puede también reunirse con la comisión o concilio de la iglesia que hace los planes para el año calendario siguiente.

## El presidente de los diáconos

El presidente de los diáconos es más que alguien para presidir reuniones. Es uno de los lugares de liderazgo más importantes de la iglesia. Según Charles F. Treadway en *Deacon Chairman Planning Guide* ("Guía de Planeamiento para el Presidente de los Diáconos"), el presidente es "un líder espiritual que tiene la oportunidad de guiar a los diáconos a cumplir su misión en el área total del ministerio del diaconado."[4]

La posición provee una oportunidad única para trabajar estrechamente con el pastor. Los dos pueden desarrollar una relación especial de aprecio, aliento y apoyo.

El estilo de liderazgo del presidente debe ser consistente con las instrucciones de Jesús a sus discípulos: "Sabéis que los que son tenidos por gobernantes de las naciones se enseñorean de ellas, y sus grandes ejercen sobre ellas potestad. Pero no será así entre vosotros, sino que el que quiera hacerse grande entre vosotros será vuestro servidor, y el que de vosotros quiera ser el primero, será siervo de todos" (Mr. 10:42-44).

Los deberes del presidente de los diáconos pueden incluir:

1. Guiar a los diáconos en el planeamiento, conducción y evaluación total de su trabajo.
2. Planear, guiar y evaluar las reuniones de diáconos.
3. Proveer a los diáconos el entrenamiento y los recursos adecuados para su tarea.
4. Guiar a los diáconos en la planificación y realización de un ministerio para las familias de la iglesia.
5. Servir como miembro de la comisión o concilio de la iglesia. En esa comisión, interpretar el ministerio del diaconado y brindar a los diáconos la información acerca del ministerio total de la iglesia.
6. Informar regularmente a la iglesia sobre el ministerio de los diáconos.
7. Cuando la iglesia está sin pastor, guiar los ministerios pastorales de la misma.

## El presidente asociado

El presidente asociado o vicepresidente debe tener responsabilidades específicas que justifiquen la existencia de ese puesto. Algunas iglesias le asignan la coordinación de la capacitación de los diáconos, o la coordinación del plan del ministerio familiar del diácono.

Los deberes del presidente asociado pueden incluir:

1. Servir como presidente o moderador para las reuniones de diáconos en ausencia del presidente.
2. Ayudar al presidente en el planeamiento, conducción y evaluación del ministerio de los diáconos.
3. Ser responsable por tareas específicas que le sean asignadas.

## El secretario de los diáconos

Los deberes del secretario de los diáconos pueden incluir:

1. Mantener actas y registros adecuados del ministerio de los diáconos.
2. Preparar informes del ministerio de los diáconos.
3. Preparar y revisar cuadernos (registros) o libros de recursos para el uso de los diáconos en el plan del ministerio familiar.
4. Pedir y mantener una reserva de materiales sobre el ministerio del diaconado para que sea usado en el ministerio de los diáconos.

## El asociado para capacitación

Los deberes para el asociado o coordinador de capacitación pueden incluir:

1. Preparar reuniones y oportunidades para capacitación en el ministerio del diaconado para el pastor, otros oficiales de la iglesia y sus cónyuges. Pueden incluir estudios por grupos o individuales; retiros con los diáconos de la iglesia y participación en conferencias sobre el ministerio de los diáconos a nivel asociacional, provincial (estatal) o nacional.
2. Mantener registros de la capacitación en el ministerio del diaconado.

3. Trabajar en conjunto con el director del Ministerio del Desarrollo Cristiano (Unión de Preparación) a fin de brindar oportunidades para adiestramiento sobre el tema para todos los miembros de la iglesia.

**El asociado para el plan del ministerio familiar**

Los deberes del asociado para el ministerio familiar pueden incluir:

1. Organizar grupos para el ministerio familiar y coordinar el plan de los diáconos para servir a través del mismo.
2. Mantener a la iglesia consciente del ministerio de los diáconos a las familias.

### Organización del Ministerio Familiar

Dado que las iglesias esperan que sus diáconos realicen un servicio espiritual y de cuidado hacia los miembros, un paso natural es dividir la responsabilidad para realizar su ministerio en una manera más efectiva. Los diáconos pueden organizar mejor su ministerio con un plan para ministrar a las familias. Básicamente, este plan implica dividir a las familias de la iglesia en grupos de igual número y asignar un diácono a cada grupo.

En una época tan temprana como el siglo III los líderes de la iglesia encontraron útil este enfoque tan sencillo. Fabián, obispo de Roma (236-250), dividió la ciudad en distritos y asignó a cada uno de los siete diáconos uno de ellos. Desde 1950 algunas iglesias han implementado programas de asignación de familias a los diáconos. Se usó una variedad de nombres para este ministerio, tales como: "Plan Zonal de los Diáconos", "Programa de Visitación Familiar de los Diáconos", "Plan del Redil de los Diáconos" y "Ministerio de los Diáconos a la Congregación".

El siguiente diagrama ilustra lo antedicho:

## PLAN DEL MINISTERIO FAMILIAR
## DEL DIACONO

| Presidente de los diáconos | | | | Otros diáco-nos y grupos si son necesarios |
|---|---|---|---|---|
| Diácono (10-15 familias) | Diácono (10-15 familias) | Diácono (10-15 familias) | Diácono (10-15 familias) | |

El plan es simple. Cada diácono acepta la responsabilidad de ministrar a las necesidades de un grupo de diez a quince familias de la membresía que reside en la ciudad. La iglesia tiene una responsabilidad continuada para aquellos miembros que están fuera temporalmente (estudiando en la universidad o en el servicio militar). Estos también pueden ser asignados a los diáconos. Algunos diáconos pueden ser capaces de ministrar efectivamente a más personas que otros.

La división se hace a veces por la ubicación geográfica, pero cualquier plan que solucione las necesidades de la iglesia será el adecuado. Cada diácono acepta la responsabilidad de un ministerio personal hacia las familias asignadas por un período de tiempo, normalmente por un año o por el período del diácono.

El plan no es principalmente un programa de visitación, aunque implica visitas personales. Es una relación entre los diáconos de la iglesia y cada miembro de las familias de la iglesia. En esa relación los diáconos velan por las familias, proclaman el evangelio a las mismas, y las guían a ser parte de una comunión con la iglesia que trae bendición. Los capítulos siete al nueve sugieren algunas maneras por medio de las cuales los diáconos pueden cumplir esta tarea.

Frecuentemente alguien preguntará si los diáconos están calificados para ministrar a las familias, y si los miembros aceptarán ese ministerio. Un miembro de una iglesia expresó esta preocupación en una carta dirigida a su pastor: "Cuando escuché por primera vez acerca del plan del ministerio familiar de los diáconos, yo pensé, bien, esto será bueno para otras personas, pero si yo necesito alguna ayuda espiritual o de otra clase, seguramente no buscaré a un diácono. Yo quiero al pastor. La semana pasada mi diácono me visitó . . . Yo ni siquiera puedo comenzar a expresar mi gratitud tanto a él, por tomarse el tiempo de venir a verme, como a usted, por comenzar el plan. No necesito decirle que mi pensamiento ha tenido un cambio dramático. Ahora llamaré con mucho gozo a mi diácono . . . Nunca antes escuché de algo realizado en nuestra iglesia que haya sido recibido con tanto entusiasmo."[6]

No sólo son beneficiados los diáconos que ministran y las familias que reciben ese ministerio, sino que se fortalece la comunión total de la iglesia. Otro pastor expresó la observación hecha por muchos: "No hay duda de que nuestra comunión es mucho más fuerte y que nuestros miembros están siendo atendidos más completa y efectivamente como resultado del plan del ministerio familiar de los diáconos. El ministerio del pastor y sus colaboradores se ha multiplicado grandemente. La iglesia está siendo guiada por sus líderes espirituales para ver que todos los cristianos sean gente que ministra, que tiene compasión, que sirve."[7]

En algunas iglesias los diáconos tienen colaboradores (ayudantes o asociados) para trabajar con ellos en el ministerio a las personas. Cada diácono selecciona a un laico como compañero para compartir el ministerio en su redil. La iglesia no elige ni ordena a estos colaboradores. Este programa brinda un excelente adiestramiento en el servicio a los diáconos en perspectiva o a los diáconos en reserva.

### Preparación para un Servicio Efectivo

Si los diáconos han de estar preparados para un servicio efectivo, ellos necesitarán capacitación y recursos para ayudarse en su ministerio. Desearán aprender lo que incluye su trabajo y cómo pueden realizarlo.

Con certeza los diáconos sentirán a menudo que sus tareas son superiores a ellos en áreas de ministerio en las cuales tienen habilidades mínimas. Esto hace que la capacitación adquiera un mayor propósito y valor práctico. Los diáconos que están dispuestos a ministrar a las familias expresan el deseo de ser entrenados a fin de tener mayor efectividad. Este deseo de adiestramiento implica tener hambre de un crecimiento espiritual y personal, y mejoría en las aptitudes del ministerio.

En muchas iglesias los diáconos descubren que uno de los mejores momentos para este entrenamiento es la reunión mensual de los diáconos. Ellos utilizan entre treinta minutos y una hora de la reunión para esta preparación.

Un número creciente de iglesias, asociaciones y convenciones están auspiciando conferencias o retiros sobre el ministerio del diaconado, para brindar esta capacitación necesaria. También se proveen los materiales adecuados.

En ciertos países hay revistas especializadas para ayudarles a comprender su papel y apoyarles en la realización de sus ministerios pastorales en la iglesia y en el ambiente de la comunidad. Los artículos desafían e inspiran a los diáconos a profundizar sus propias vidas espirituales.

Los diáconos tienen una gran herencia en el ministerio a las personas. A veces los diáconos han perdido de vista su papel de siervos, pero están demostrando un entusiasmo creciente al tener la oportunidad de compartir su ministerio con el pastor. Con una organización y una preparación adecuada, los diáconos pueden ser efectivos en hacer un ministerio ejemplar hacia las personas.

---

[1] La fuente principal de la información histórica es Charles W. Deweese, *The Emerging Role of Deacons* (Nashville: Broadman Press, 1979).

[2] Ernest E. Mosley, *Called to Joy: a Design for Pastoral Ministries* Nashville: Convention Press, 1973), p. 25.

[3] *Ibid.,* p. 26.

[4] Charles F. Treadway, *Deacon Chairman Planning Guide* (Nashville: Convention Press, 1978), p. 5.

[5] Deweese, p. 13.

[6] *The Deacon,* July 1975, p. 32.

[7] Robert W. Bailey, "From Limited Ministry to Family Ministry Plan", *The Deacon,* January 1978, p. 36.

## Actividades Personales de Aprendizaje

1. Los siete fueron elegidos para atender el problema de desatención de las viudas, para ministrar por medio de solucionar las _____ de aquellas en la congregación.

2. La palabra griega *diakonos* significaba_____ o ministro, la raíz de nuestra palabra *diácono* hoy.

3. Los tres ministerios pastorales básicos, compartidos por el pastor y los diáconos son _____, _____ y_____.

4. Los diáconos deben ser _____ con el pastor.

5. El plan de _____ provee una organización para que los diáconos organicen su ministerio a la congregación.

6. Algunas iglesias nombran _____ para ayudar a los diáconos en el ministerio familiar.

7. Para que los diáconos sean efectivos en su ministerio de servicio, necesitan _____.

# 7
# SIERVOS EJEMPLARES EN EL CUIDADO DE LAS FAMILIAS

La iglesia ha asumido siempre la responsabilidad por el cuidado de las necesidades físicas y espirituales de las personas. La iglesia sufre y las necesidades no se suplen cuando los miembros vuelcan su responsabilidad de cuidado sobre el pastor; pero aun cuando ellos aceptan su parte en la atención de las necesidades, algunos pueden desaprovechar el cuidado disponible en la congregación. El problema es que aquello que es responsabilidad de todos no parece ser responsabilidad de nadie. Aunque mucha gente recibe una atención adecuada, algunos no la reciben. Todos asumen que algún otro está atendiendo a esa necesidad.

Muchas iglesias consideran que los diáconos son los que deben ayudar a solucionar las necesidades de los miembros de la iglesia. La asignación de cada familia de la iglesia a un diácono es un enfoque simple y efectivo para reducir la posibilidad de que algunos sean desatendidos. Algunas iglesias tienen un diácono de la semana para visitar a los enfermos y a los necesitados, y para estar a la orden para trabajar con el pastor en la atención de las necesidades.

Cuando los diáconos concentran su atención sobre los deberes administrativos, a veces fallan en el énfasis adecuado sobre la responsabilidad de cuidado. En algunas iglesias los diáconos son capaces de hacer trabajos de coordinación y otros deberes de liderazgo, y aun cuidar efectivamente a las familias en la congregación; otros han encontrado más útil liberarse de algunos de sus deberes específicos y dejarlos a comisiones de la iglesia y sus responsabilidades de coordinación al concilio de la iglesia.

### Cuidar Como Lo Hizo Jesús

Jesús les dijo a sus discípulos que estaba lavando sus pies como un ejemplo para que ellos lo siguieran. Ninguna tarea era demasiado insignificante para aquellos que servirían como Jesús sirvió (Jn. 13:12-16). Con Jesús como un ejemplo distintivo, los cristianos han respondido con un resonante "Sí" a la pregunta de Caín: "¿Soy yo acaso guarda de mi hermano?" (Gn. 4:9).

En la última cena con sus discípulos, Jesús les dio un nuevo mandamiento: "Que os améis unos a otros; como yo os he amado, que también os améis unos a otros. En esto conocerán todos que sois mis discípulos, si tuviéreis amor los unos con los otros" (Jn. 13:34, 35). Jesús estaba preparando a los discípulos para la crucifixión y para el tiempo cuando él ya no estaría con ellos. Luego de eso, sus seguidores no serían identificados por ser vistos con el Jesús físico, sino por demostrar su clase de amor en la comunidad de la fe.

Juan escribió que Cristo demostró su amor al dar su vida por nosotros, y nosotros hemos de hacer lo mismo por otros. Nuestro amor no puede ser sólo "de palabra ni de lengua, sino de hecho y en verdad" (1 Jn. 3:18). El afirmó que si tenemos los recursos para solucionar las necesidades de una persona y no lo hacemos, no podemos pretender tener el amor de Dios.

Santiago fue mucho más lejos al decir que la fe que no se expresa en las obras prácticas de atender a las necesidades físicas es una fe muerta, inútil y que no puede salvar (Stg. 2:14-17). En ese espíritu Pablo declaró que los hermanos cristianos deben sobrellevar "los unos las cargas de los otros, y cumplid así la ley de Cristo" (Gá. 6:2).

En la parábola de Jesús en cuanto al juicio final, él

dividió a la gente en aquellos que son dignos y aquellos que son indignos de heredar el reino del Padre. Jesús basó esta división en los actos de misericordia hacia aquellos que tienen necesidad: "Venid, benditos de mi Padre, heredad el reino preparado para vosotros desde la fundación del mundo. Porque tuve hambre, y me disteis de comer; tuve sed, y me disteis de beber; fui forastero, y me recogisteis; estuve desnudo, y me cubristeis; enfermo, y me visitasteis; en la cárcel y vinisteis a mí . . . De cierto os digo que en cuanto lo hicisteis a uno de estos mis hermanos más pequeños, a mí lo hicisteis" (Mt. 25:34-36, 40). Aquellos que son bienvenidos en el reino estuvieron sorprendidos, dado que no habían relacionado sus actos de misericordia con Cristo. Ellos habían actuado en respuesta a la necesidad humana, no por una recompensa.

Cuando se le preguntó cuál de los mandamientos era el mayor, Jesús combinó dos mandamientos inseparables, el amor a Dios y el amor al prójimo como a uno mismo (Mr. 12:28-31). En un encuentro similar registrado en Lucas (10:25-37), un abogado le preguntó a Jesús: "¿Quién es mi prójimo?" La parábola del buen samaritano no fue realmente una respuesta a esa pregunta sino a la reformulación de la misma hecha por Jesús después de contar la parábola: "¿Quién probó ser un prójimo y así demostró que amaba a su prójimo como a sí mismo?"

El amor cristiano es un acto decisivo, que busca los mejores intereses de la persona que es amada. El samaritano había hecho esto más allá del sentido del deber que pudiera esperarse. El fue generoso con sus recursos: limpió y curó las heridas del extraño, usó su animal de carga para llevarlo hasta la posada, cuidó de él aquella noche, y aceptó la responsabilidad financiera por el cuidado continuado del herido. El samaritano continúa siendo un ejemplo de cuidado generoso de las personas en necesidad.

Jesús fue un ejemplo en este sentido. El "anduvo haciendo bienes" (Hch. 10:38). Jesús se identificó a sí mismo con el buen pastor que pone su vida por sus ovejas

(Jn. 10:11). Cuando vio las multitudes que estaban como ovejas sin pastor, sintió compasión por ellas. Sabía que solo no podía hacerlo todo. Necesitaba colaboradores para pastorear el rebaño. Pidió a sus discípulos que oraran para que fueran enviados más obreros (Mt. 9:36-38). Las oraciones de los discípulos fueron contestadas cuando ellos fueron enviados a llevar a los perdidos las enseñanzas y el ministerio de sanidad de Jesús (Mt. 10:5-8).

Así como Jesús comisionó a los discípulos como compañeros en su ministerio de cuidado, los diáconos pueden ser colaboradores del pastor en la atención de la gente. Naturalmente, los diáconos se sentirán inadecuados, pero esa falta de capacidad conduce a una dependencia sana sobre la fortaleza de Dios. Jesús prometió: "El que en mí cree, las obras que yo hago, él las hará también; y aún mayores hará, porque yo voy al Padre. Y todo lo que pidiereis al Padre en mi nombre, lo haré, para que el Padre sea glorificado en el Hijo . . . Y yo rogaré al Padre, y os dará otro Consolador, para que esté con vosotros para siempre" (Jn. 14:12, 13, 16). Con el poder de la presencia del Espíritu Santo de Dios, los diáconos pueden ser colaboradores efectivos con Dios (1 Co. 3:9) en el cuidado de las familias.

### Desarrollar una Relación de Cuidado

Algunas personas luchan con sus motivos para atender a las necesidades. Parece haber competencia entre un sentido de obligación en cumplir con las expectativas de Dios y de los demás y el deseo de ayudar "simplemente porque quiero hacerlo". Las gentes sienten también la presión del deber hacia las personas que les han ayudado a ellas. De ese modo, la persona que quiere ayudar teme que los que reciban su ayuda se sientan endeudados con ella.

El concepto cultural del deber, obligación o responsabilidad está basado con frecuencia en el temor al fracaso de vivir de acuerdo con expectativas de Dios y de los demás. Pero el concepto en una respuesta de amor a un Dios amante, que desafía pero perdona y acepta a las personas aun en su fracaso. La clase de amor y cuidado que hemos recibido de Dios es la clase de amor que hemos de dar porque amamos a nuestro prójimo.

La obligación de cuidar puede convertirse en un concepto legalista o puede ser realizado en respuesta al temor de perder una relación. Pero la obligación y la responsabilidad mutuas pueden ser expresiones de una relación de amor y de cuidado si hay consistencia entre aquello que una persona siente que se supone debe hacer y aquello que ella quiere hacer.

El cuidado de otros está enraizado en una relación con Dios en Cristo. La manera más efectiva en que los diáconos puedan brindar atención a las familias es por medio del plan del ministerio familiar del diácono. Al aceptar la responsabilidad por algunas familias específicas, los diáconos pueden desarrollar relaciones de cuidado hacia ellas.

Los diáconos pueden escribir cartas o tarjetas a cada familia para hacerles saber que están disponibles y que los visitarán. Aquí está el modelo de una nota que un diácono escribió a cada una de las familias que le fueron asignadas:

Les escribo estas breves líneas para hacerles saber que se me ha pedido que sea vuestro diácono. Juan Fernández es mi ayudante.

A fin de familiarizarnos, los llamaremos en las próximas semanas para quedar de acuerdo en una fecha para visitarlos en vuestro hogar.

Si ustedes tienen alguna necesidad especial, llámenme por favor a mi casa (número de teléfono), o a mi trabajo (número de teléfono). Pueden llamar también a la casa de Juan (número de teléfono). El nombre de mi esposa es Patricia, y la esposa de Juan es Rosa.

Esperamos con gozo esta oportunidad de servirles en los días venideros.

### Firma

Una clave para un ministerio familiar efectivo del diácono es tener un buen sistema de registro. Para la mayoría de las personas es imposible que se acuerden de todo lo que necesitan recordar. Reconociendo esto, un profesor le dijo a sus estudiantes: "Escriban. ¡El papel es más barato que el cerebro!"

Una forma de hacerlo es tener una tarjeta por familia, en la cual se pueden tener los datos básicos de la misma. Esa información la puede completar el diácono durante la primera visita. En el reverso de la tarjeta hay espacio para anotar el ministerio del diácono a la familia.

La primera visita del diácono será para familiarizarse con todos los miembros de la familia. De ser posible, esta visita debe hacerse entre las primeras seis a ocho semanas.

Una de las mejores maneras en que los diáconos pueden desarrollar relaciones de cuidado hacia las familias es recordar los cumpleaños con una tarjeta o una llamada telefónica. Ese gesto le demuestra a la gente que su diácono los considera importantes. Recordar también los aniversarios de bodas, bautismo, membresía de la iglesia u otros acontecimientos especiales llevará a la gente a sentir algo como: *Mi diácono se preocupa por mí lo suficiente como para recordarme.*

Hay otras oportunidades que un diácono sensible puede aprovechar para construir una relación que reconozca algo especial en las personas: graduaciones, ascensos en el trabajo, elección para ciertas tareas, premios en competencias deportivas, honores académicos, intereses personales, reconocimientos en la comunidad, etcétera.

El plan de los diáconos para un ministerio familiar es un canal natural para dar la bienvenida y orientar a las nuevas familias que se unen a la iglesia. A los pocos días de incorporarse a la iglesia, el diácono asignado debe visitarlos en su hogar. Puede compartir con ellos algunos materiales impresos acerca de la iglesia para poner al tanto a la familia con la misma y sus ministerios, y para animarlos a participar del estudio de la Biblia y las oportunidades de capacitación para los nuevos miembros. Este contacto personal inicial les ayudará a conocer que están formando parte de una congregación que se ocupa de ellos.

### Ministrar en Epocas de Crisis

Los diáconos que desarrollan una relación de cuidado encontrarán que es más natural ministrar a sus familias en épocas de crisis. Los miembros de la familia considerarán a su diácono como un amigo. De ese modo, cuando ocurra alguna crisis, la familia se sentirá más cómoda cuando el diácono venga a ministrarles.

*Crisis* viene de la palabra griega *krisis*, que significa "separación o decisión de un juez". Una crisis en la vida de una persona es un punto culminante, un momento decisivo para bien o para mal. C. W. Brister la define como "cualquier hecho o conjunto de circunstancias que amenazan el sentido de bienestar de una persona e interfiere con su rutina normal".

Por lo tanto, las crisis incluyen hechos comunes del desarrollo de la vida, tales como el nacimiento, el matrimonio, la jubilación y situaciones de crisis más abruptas como la muerte, el divorcio, la enfermedad y los conflictos familiares. Esas experiencias cambian el modelo acostumbrado de vida de una persona. La mayoría de la gente no está preparada para hacer esos cambios radicales, y por lo tanto los mismos son considerados como crisis.

Alvin Toffler, en su libro *Future Shock* ("Conmoción Futura"), afirmó que "hay límites definidos en cuanto a la cantidad de novedad que puede ser asimilada por cualquier individuo o grupo en un período breve de tiempo, sin consideración a lo bien integrado que pueda ser el todo".[2] Dado que la persona no conoce con certeza sus límites y tiene un temor básico a lo desconocido, tiende a asustarse con los cambios.

Durante una época de crisis o cambios, la persona está haciendo decisiones y reacciones que moldean su vida. Estas pueden ser destructivas o constructivas. La meta del diácono es capacitar a la persona o familia para que use esas experiencias para profundizar en el crecimiento personal y para fortalecer sus relaciones.

El ministerio en épocas de crisis comienza con la disponibilidad y la iniciativa del diácono. Si ya está establecida una relación de cuidado, la persona que está en necesidad se sentirá en libertad para pedir ayuda. Pero algunas veces la persona no buscará la ayuda que está disponible debido a la preocupación intensa con la situación que está enfrentando, o con el sentimiento de *"no quiero molestar a nadie"*. Como representante de la iglesia, el diácono tiene la facultad de tomar la iniciativa.

Se requiere sensibilidad hacia los demás para saber cuándo tomar la iniciativa. Los diáconos necesitan desarrollar la habilidad de advertir y amplificar aun las señales débiles de pedidos de ayuda. Una manera muy útil de lograr esto es ser más consciente con las señales que él mismo tiene acerca de sus preocupaciones.

Frecuentemente esto es más difícil para los hombres que para las mujeres, porque algunos hombres han aprendido a ignorar sus sentimientos. Sidney Jourard llegó a esta conclusión después de una investigación: "Las mujeres, más sensibilizadas en cuanto a su experiencia íntima, notarán más pronto y más frecuentemente que los hombres las señales de 'todo no anda bien'. . . Es como si las mujeres 'amplificaran' las señales interiores de preocupación aun cuando ellas sean débiles, mientras que los hombres actúan como si estuvieran 'desentendidos' hasta que esas señales son tan fuertes que no pueden más ser ignoradas. . . Algunos hombres son tan hábiles en disimular, en 'aparentar', que ni aun sus esposas sabrán cuando están solitarios, ansiosos o hambrientos de afecto. Y los hombres, bloqueados por el orgullo, no se atreven a descubrir su desesperacion o necesidad."[3] Estar en contacto con los sentimientos personales que uno tiene no es fácil, pero la sensibilidad creciente hacia otros es digna del esfuerzo que se pueda hacer.

Dios despierta la sensibilidad hacia las personas en diferentes maneras. A veces Dios hace que un diácono comprenda que una persona está en necesidad en una manera mística. El nombre de alguien viene a la mente y no sale de allí. El diácono llama telefónicamente o visita a la persona no sabiendo la razón de hacerlo. La otra persona comienza a compartir cuánto necesitaba de alguien en ese momento. La persona puede preguntar: "¿Cómo lo supo?" Bueno, el diácono no lo sabía, pero fue guiado por el Espíritu de Dios en una manera inexplicable a ser de ayuda en una necesidad.

Dios guía más frecuentemente en maneras más prácticas y terrenales. Todo lo que el diácono necesita normalmente es experiencia y sentido común, para advertir que una persona necesita que alguien la atienda. Una esposa se interna en el hospital para ser sometida a una intervención quirúrgica. Muere el padre de alguna persona. Un esposo y padre pierde su trabajo. Los problemas de salud de una fiel miembro de la iglesia la obligan a permanecer en su casa. Una pareja anuncia que se van a separar. Un adolescente es arrestado. Estos eventos indican claramente la necesidad de un ministerio de cuidado.

Una familia en crisis necesita la fortaleza y la confianza que les puede dar la presencia de un creyente estable y fiel. La presencia del diácono puede significar tener "primeros auxilios" en el orden emocional.

Normalmente, el temor mayor del diácono acerca de ministrar en épocas de crisis es, ¿Qué voy a decir? La mejor pregunta es: ¿Cómo escucharé? Probablemente una de las maneras más efectivas en las que un diácono puede ministrar es escuchando. En especial durante una crisis, la gente necesita a alguien que pueda escuchar en forma activa. Las personas necesitan más un lugar para expresar sus sentimientos que lo que necesitan en cuanto a explicaciones o respuestas simples a preguntas difíciles.

Las simples palabras "yo lo puedo ayudar" y "yo lo amo", respaldadas por la asistencia práctica, fortalecerán la comprensión que la persona tenga del amor y del cuidado de Dios. El diácono puede usar también la oración y la lectura de la Biblia para atraer a la persona o familia a la guía y a los recursos fortalecedores de la presencia de Dios.

A veces la oferta bien intencionada: "Hágame saber cómo lo puedo ayudar", pone una carga adicional sobre la persona en crisis. Comúnmente el diácono puede ver detalles que necesitan ser hechos, tales como llamadas telefónicas, arreglos para el cuidado de los niños u ofrecer un medio de movilidad. El propósito de una ayuda así no es sentirse útil, sino solucionar necesidades reales.

Animar al individuo y a la familia a hacer todo aquello que ellos puedan los capacita a desarrollar y usar su propia fortaleza para enfrentar la crisis. El diácono puede ofrecer una ayuda adicional a la persona de la familia que es la que permanece estable y toma las decisiones.

El diácono puede también informar e incluir al pastor, parientes y amigos que ya tienen relaciones significativas con algunos miembros de la familia. Sin embargo, el diácono no debe compartir información confidencial sin el permiso de la persona. También se pueden dejar materiales impresos para que la persona los lea posteriormente.

La persona que cuida permitirá que la dirección del crecimiento de la otra persona guíe y determine la ayuda que se provee. Ayudar a otro es ayudar a la persona a cuidarse a sí misma y ser responsable por su propia vida. Una parte importante del cuidado preventivo es ayudar a construir sistemas de apoyo para la gente.

Las personas frecuentemente necesitan un ministerio continuado después que se ha solucionado la crisis inmediata. Alguna nota, llamadas telefónicas y visitas le recordarán a esa persona que el diácono tiene un interés continuado y que está disponible.

Hay dos grandes desafíos acerca del cuidado que confrontan todos los cristianos, incluyendo a los diáconos. Son los hambrientos y los que no tienen casa. Esas necesidades son complejas, pero los creyentes que leen los relatos en los periódicos acerca de la gente que sufre el hambre y de los miles de refugiados que huyen de la opresión no pueden ignorar un sentido de compasión y la necesidad de responder. Esos mismos cristianos también leen: "Pero el que tiene bienes de este mundo y ve a su hermano tener necesidad, y cierra contra él su corazón, ¿cómo mora el amor de Dios en él? (1 Jn. 3:17). Las estadísticas son aterradoras: más de doce millones de personas sin hogar en el mundo y cerca de quinientos millones de personas con una dieta consistentemente inadecuada. Cada persona puede determinar cómo solucionar una parte de esa necesidad por medios tales como ofrendas a las agencias que tratan de aliviar el hambre y ayudando a una familia de refugiados.

Los diáconos sensibles descubrirán muchas más necesidades que las que ellos puedan satisfacer en forma personal. Entonces enfrentarán la necesidad de determinar prioridades. Se pueden parafrasear las palabras de Jesús: "¿Qué aprovechará si un diácono ganara el amor y el aprecio de un redil completo pero dejara su relación con Dios y perdiera a su propia familia?" El Espíritu Santo no sólo proveerá la fortaleza para cuidar de otros, sino que también dará la guía en la decisión de cuándo y cómo ministrar.

---

[1] C. W. Brister, *Take Care* (Nashville: Broadman Press 1978), p. 113.

[2] Alvin Toffler, *Future Shock* (New York: Bantam Books, 1970), p. 371.

[3] Sidney M. Jourard, *The Transparent Self* (New York: D. Van Nostrand, 1971), pp. 37-39.

## Actividades Personales de Aprendizaje

1. Santiago advirtió a los cristianos que la fe sin _____ es muerta.
2. El concepto cristiano del cuidado está basado en el _____, no en la obligación.
3. Una clave para un ministerio efectivo de los diáconos a las familias es un buen sistema de _____.
4. Los diáconos deben establecer una relación con las familias bajo su cuidado de modo que su ministerio sea natural en tiempos de _____.
5. Una de las maneras más efectivas por medio de las cuales puede ministrar un diácono es _____.

# 8

# SIERVOS EJEMPLARES EN LA PROCLAMACION DEL EVANGELIO

Los diáconos que están interesados en los demás estarán buscando oportunidades apropiadas y sensibles para testificar a los no creyentes. Esto será particularmente cierto si ellos se relacionan con las familias asignadas en el plan del ministerio familiar. Cada diácono llegará a conocer personalmente a niños, adolescentes y adultos que están relacionados con los miembros de la iglesia pero que no son cristianos. Dios puede usar esa relación personal como una base para que el diácono haga una presentación natural y efectiva del evangelio. El contacto con las familias permitirá también numerosas oportunidades para ayudar a los creyentes en la aplicación del evangelio a su vida diaria.

La iglesia en Jerusalén eligió a siete varones para cuidar a las viudas helenistas y de esa manera solucionar el problema del compañerismo. Lucas escribió las actividades de dos de aquellos siete en Hechos 6-8. Se les ve proclamando el evangelio a las multitudes y a una sola persona. Ellos dan un buen ejemplo digno de ser seguido por los diáconos en su tarea de proclamar el evangelio a creyentes e incrédulos.

El ministerio poderoso de Esteban atrajo una atención considerable. El fue llevado a un debate con algunos de los judíos helenistas. Fue capaz de hablar con tal claridad y poder que los judíos "no podían resistir a la sabiduría y al Espíritu con que hablaba" (Hch. 6:10). Ellos acudieron entonces a buscar falsos testigos que llevaran ante el

Sanedrín acusaciones similares a las que se habían hecho contra Jesús. Esteban refutó las acusaciones por medio de la historia de las Escrituras, llegando al punto climático en la idolatría de Israel y el rechazo de los profetas enviados por Dios. Concluyó su presentación diciendo que los líderes religiosos del judaísmo eran obstinados y resistentes al liderazgo divino como lo habían sido sus antepasados. Los miembros del Sanedrín se enfurecieron, lo llevaron fuera de la ciudad y lo apedrearon hasta matarlo. Esteban, el primer mártir cristiano, murió con confianza y esperanza, pidiendo el perdón de Dios para sus asesinos (Hch. 6:11—7:60).

Lucas puso atención luego en otro de los siete, Felipe. En respuesta a la persecución, muchos de los cristianos tuvieron que dejar Jerusalén, pero predicaron dondequiera que fueron. Felipe predicó a multitudes muy dispuestas en Samaria. Muchos creyeron en la predicación de Felipe acerca del reino de Dios y de Jesucristo, y fueron bautizados (Hch. 8:5-13). Dios luego llevó a Felipe lejos del ministerio exitoso entre las multitudes para que testificara a una sola persona. Un oficial etíope, que había encontrado la verdad espiritual en la religión israelita, regresaba a su hogar luego de adorar en Jerusalén. Estaba leyendo Isaías 53 cuando llegó Felipe. Cuando el etíope le preguntó en cuanto a ese pasaje, Felipe le contó las buenas nuevas acerca de Jesús. El resultado fue creencia, bautismo y regocijo (Hch. 8:26-39). Después Felipe siguió su camino hacia el norte por la costa del Mediterráneo, predicando en cada ciudad hasta que llegó a Cesarea (Hch. 8:40). Era conocido como el evangelista cuando hospedó a Pablo, que estaba en camino hacia Jerusalén al final de su último viaje misionero (Hch. 21:8).

### Proclamar Como Lo Hizo Jesús

Los diáconos encuentran que Jesús es el ejemplo principal para su ministerio de proclamación. Jesús dijo que la predicación del reino de Dios era su misión primordial (Lc. 4:43). La manera en que llevó a cabo esa misión es un buen modelo para que lo sigan los diáconos.

Después del bautismo y la experiencia de la tentación, Jesús regresó a Galilea donde comenzó su ministerio enseñando en las sinagogas. En su pueblo de Nazaret, leyó del rollo de Isaías un pasaje que él identificó consigo mismo. Jesús sabía que el Espíritu de Dios lo había ungido para anunciar las buenas nuevas y ser el heraldo de los resultados de ese evangelio. (Lc. 4:14-21).

Jesús siempre enfocó el contenido de su predicación y enseñanza en el reino de Dios, el gobierno divino en la vida de la persona. Sin embargo, comunicó ese mensaje básico en maneras diferentes para satisfacer la necesidad de cada individuo. Nicodemo dependía de su herencia hebraica, de modo que Jesús le dijo que necesitaba nacer de nuevo en lo espiritual (Jn. 3:1-8). El joven rico amaba su dinero, de modo que Jesús le pidió que vendiera todas sus posesiones y diera el dinero a los pobres (Mr. 10:17-22).

Jesús estuvo dispuesto a cruzar las barreras de los prejuicios religiosos y sociales para dar nueva vida en el reino de Dios. Cuando le habló a la mujer samaritana junto al pozo, superó las barreras de raza, religión, sexo y moralidad (Jn. 4:5-29). Los fariseos censuraron la concurrencia de Jesús a los hogares de los cobradores de impuestos y pecadores, los cuales habían sido rechazados por los fariseos, que eran religiosamente orgullosos. Jesús respondió: "Los sanos no tienen necesidad de médico, sino los enfermos" (Mt. 9:10-12).

Jesús, sin ser condenatorio, confrontó a la gente con la necesidad de confesar y volverse de sus pecados. Los escribas y los fariseos le trajeron a una mujer que había sido tomada en el acto de adulterio, y esperaban que él confirmara el veredicto de muerte por apedreamiento. Pero Jesús dijo: "El que de vosotros esté sin pecado sea el primero en arrojar la piedra contra ella." Cuando los acusadores se fueron, Jesús dijo: "Ni yo te condeno; vete, y no peques más" (Jn. 8:3-11).

Jesús tuvo un ministerio activo de enseñanza, predicación y sanidad en muchas ciudades y aldeas. El sintió compasión por las masas de personas que tenían necesidades tan grandes (Mt. 9:35, 36), pero reconoció la necesidad de períodos regulares de retiro para oración y descanso. También sabía que no podía hacer todo por sí mismo. Le dijo a sus discípulos: "A la verdad la mies es mucha, mas los obreros pocos. Rogad, pues, al Señor de las mies, que envíe obreros a su mies" (Mt. 9:37, 38). La respuesta a esta oración fue el envío de los discípulos a una misión de predicación y sanidad a "las ovejas perdidas de la casa de Israel". Ellos fueron para proclamar "El reino de los cielos se ha acercado" (Mt. 10:5-8).

### Compartir las Buenas Nuevas con los Incrédulos

Al final de su ministerio, Jesús comisionó a sus seguidores para que continuaran su ministerio de proclamación. Los Evangelios y Hechos registran palabras diferentes de Jesús, pero todas tienen el mismo énfasis. En la noche del día de su resurrección, Jesús simplemente dijo: "Como me envió el Padre, así también yo os envío" (Jn. 20:21). Esa noche, en Jerusalén, Jesús interpretó las Escrituras a los discípulos: "Así está escrito, y así fue necesario que el Cristo padeciese, y resucitase de los muertos al tercer día; y que se predicase en su nombre el arrepentimiento y el perdón de pecados en todas las naciones, comenzando desde Jerusalén" (Lc. 24:46, 47).

Posteriormente, en Galilea, les dijo: "Por tanto, id, y haced discípulos a todas las naciones, bautizándolos en el nombre del Padre, y del Hijo, y del Espíritu Santo, enseñándoles que guarden todas las cosas que os he mandado; y he aquí yo estoy con vosotros todos los días, hasta el fin del mundo." (Mt. 28:19, 20). Antes de la ascensión, les dijo a sus discípulos que esperaran en Jerusalén: "Pero recibiréis poder, cuando haya venido sobre vosotros el Espíritu Santo, y me seréis testigos en Jerusalén, en toda Judea, en Samaria, y hasta lo último de la tierra" (Hch. 1:8).

Los diáconos comparten con todos los cristianos la comisión de testificar. Esto significa que han de testificar de aquello que han conocido y experimentado personalmente. Los testigos en favor de Cristo cuentan en cuanto a la vida y el ministerio de Jesús, con la atención fijada en su muerte y resurrección, pero comparten algo más que los hechos en cuanto a Jesús. Ellos señalan los efectos transformadores para la vida que tienen esos eventos en sus propias vidas. Los incrédulos quieren saber la diferencia que Cristo ha hecho en la vida del diácono que testifica.

Los oyentes determinan la credibilidad de los testigos observando la consistencia de sus vidas. Es trágico cuando alguien puede decir: "Lo que usted hace habla tan fuerte que no puedo oír lo que está diciendo." Los judíos acusaron a Jesús de blasfemia: "tú, siendo hombre, te haces Dios" (Jn. 10:33). Para establecer su credibilidad, Jesús dependió de la consistencia entre sus palabras y sus obras: "Si no hago las obras de mi Padre, no me creáis. Mas si las hago, aunque no me creáis a mí, creed a las obras, para que conozcáis y creáis que el Padre está en mí, y yo en el Padre" (Jn. 10:37, 38).

Los testigos no son responsables por las creencias de otros, pero deben permanecer fieles y verdaderos a su testimonio. Para muchos cristianos eso ha significado la muerte (ver Ap. 6:9; 20:4). De ese modo, la palabra griega traducida "testigo" se ha convertido en la palabra española *mártir*. Raramente se requiere el martirio de los cristianos; pero el espíritu de testimonio confiado y audaz debe ser el mismo, sea que haya riesgos o no. Los diáconos que son testigos fieles experimentarán el asombro de ver que niños, adolescentes y adultos a los cuales han testificado hacen profesiones de fe en Cristo y lo siguen en el bautismo.

Los diáconos comparten también con todos los cristianos la comisión de proclamar el evangelio. Hay dos palabras griegas que más comúnmente se traducen "predicar" o "proclamar". Una significa "proclamar" o "anunciar oficialmente". La otra palabra, tomada de la raíz que significa "ángel" o "mensajero", significa literalmente "llevar un buen mensaje". La palabra griega se ha convertido en nuestra palabra española *evangelizar*. El evangelista o predicador es aquel que anuncia buenas noticias. Jesús nunca tuvo la intención de que esa tarea importante estuviera limitada a la predicación pastoral desde el púlpito. Todos los cristianos reciben esta comisión. Ellos pueden proclamar el evangelio por medio de conversaciones privadas, presentaciones públicas o comunicaciones escritas.

En esta comisión es de importancia primordial el contenido de las buenas noticias que se proclaman. Es el mismo mensaje que proclamó Jesús, el reino de Dios (Lc. 9:2). La buena noticia es que el reino de Dios está disponible para producir vida como es la intención de Dios, vida en plenitud. El proclamador, como testigo, centraliza la atención sobre la muerte y la resurrección de Jesús. El mensaje incluye también la necesidad de arrepentimiento y confesión del pecado para recibir el perdón, la limpieza de Dios y el don de la vida nueva.

Pablo escribió a los corintios: "Pues ya que en la sabiduría de Dios, el mundo no conoció a Dios mediante la sabiduría, agradó a Dios salvar a los creyentes por la locura de la predicación" (1 Co. 1:21). Pero Pablo siempre mantuvo su predicación en una perspectiva correcta: "y ni mi palabra ni mi predicación fue con palabras persuasivas de humana sabiduría, sino con demostración del Espíritu y de poder, para que vuestra fe no esté fundada en la sabiduría de los hombres, sino en el poder de Dios" (1 Co. 2:4, 5).

Los diáconos no deben rechazar las oportunidades para predicar porque ellos no son buenos oradores. La protesta de Moisés: "Nunca he sido hombre de fácil palabra. . . porque soy tardo en el habla y torpe de lengua" (Ex. 4:10) llegó a enojar a Dios, porque negaba el poder de

Dios para capacitar a Moisés para hablar en forma adecuada, aun elocuentemente.

Los diáconos tendrán oportunidades de proclamar el mensaje de Dios. A veces son invitados a predicar en ocasiones especiales, como pueden ser el día de los hombres, la ordenación de diáconos o campañas organizadas por los laicos. Los diáconos pueden predicar los domingos o en reuniones entre semana cuando el pastor está enfermo o ausente. A veces un diácono dispuesto puede hacer la diferencia entre tener un culto bueno o no tenerlo en absoluto. Algunos laicos han ayudado a comenzar o mantener el trabajo de una obra misionera o anexo de la iglesia. A veces sus responsabilidades diferentes incluyen predicar ocasional o regularmente. Cada semana hay muchos laicos que fielmente tienen ministerios de predicación en lugares tales como hogares de refugio, hogares de ancianos, cárceles o lugares de esparcimiento. Otros proclaman el evangelio por medio de estudios bíblicos en el lugar de trabajo o en sus barrios, a fin de alcanzar a personas que no escuchan el evangelio que se predica en el templo.

Pablo hizo la pregunta: "¿Cómo, pues, invocarán a aquel en el cual no han creído? ¿Y cómo creerán en aquel de quien no han oído? ¿Y cómo oirán sin haber quien les predique?" (Ro. 10:14). Los diáconos pueden no ser llamados al papel del pastor, pero a menudo serán enviados por Dios a predicar las buenas nuevas de Jesucristo.

Los diáconos no sólo comparten con todos los creyentes la comisión de testificar y predicar, sino que también tienen la comisión de hacer discípulos. Se espera que los seguidores de Jesús vayan un paso más con aquellos a los cuales testifican y predican. Los cristianos deben hacer un esfuerzo concertado para ayudar a otros a estar más íntimamente comprometidos con Jesús.

Los discípulos son más que alumnos pasivos. Ellos eligen tener un contacto personal con Cristo que ejemplifica su vida. Jesús esperaba que sus discípulos le dieran la prioridad sobre el ego, la familia y las posesiones (Lc. 14:26, 33). Pablo describió esta relación como ser "bautizados en Cristo Jesús" (Ro. 6:3). Jesús habló de sus discípulos permaneciendo en él como un pámpano permanece en la vid (Jn. 15:4).

Los discípulos son aquellos que edifican la comunión de la iglesia (Hch. 11:26). Los diáconos pueden dar el paso siguiente más allá de testificar y predicar, animando a otros a unirse al cuerpo de Cristo, la iglesia. Al compartir la comunión, el estudio, la adoración y la proclamación de la iglesia, ellos serán fortalecidos en su unión con Cristo.

Aquellos que proclaman el evangelio a los incrédulos, no siempre verán los resultados de su testimonio y predicación. Pablo reconoció que una persona puede sembrar la semilla, otros pueden regar y nutrir, pero últimamente es Dios el que hace posible la nueva vida y el crecimiento (1 Co. 3:6, 7).

Cristo no limitó su comisión a alcanzar solamente a aquellos que están inmediatamente al lado nuestro, sino que incluyó a toda la gente de todas las naciones. Los diáconos demostrarán su compromiso con la comisión de Dios para las misiones mundiales por medio del apoyo financiero, la oración informada y, cuando es posible, la participación directa.

### Enseñar a los Creyentes el Camino Cristiano

Los escritores del evangelio enfatizaron el ministerio de enseñanza de Jesús tanto como su ministerio de predicación. Predicar es proclamar el evangelio a aquellos que no lo han oído o no lo han recibido. Enseñar es proclmar la manera cristiana de vida a aquellos que ya son discípulos de Jesucristo. Jesús no sólo predicó las buenas nuevas del reino de Dios, sino que también enseñó el significado del reino de Dios en la vida de la persona que ha creído y se ha comprometido a vivir de acuerdo con la voluntad de Dios.

La segunda mitad de la comisión de Cristo en Galilea

fue: "Enseñándoles que guarden todas las cosas que os he mandado" (Mt. 28:20). En el Sermón del monte, Jesús dijo que aquellos que guardaran y enseñaran los mandamientos serían considerados grandes en el reino de Dios (Mt. 5:19).

Una de las señales de la enseñanza cristiana es el uso constante de la Biblia. Pablo escribió a Timoteo en cuanto al valor y al propósito de la Palabra de Dios: "y que desde la niñez has sabido las Sagradas Escrituras, las cuales te pueden hacer sabio para la salvación por la fe que es en Cristo Jesús. Toda la Escritura es inspirada por Dios, y útil para enseñar, para redargüir, para corregir, para instruir en justicia, a fin de que el hombre de Dios sea perfecto, enteramente preparado para toda buena obra" (2 Ti. 3:15-17).

El propósito de la enseñanza cristiana basada en la Palabra de Dios es instruir a los creyentes en la manera en que Dios quiere que se desarrolle su vida. A veces esto incluye confrontar y reprender a una persona que vive en el pecado o que promueve falsas doctrinas. Por incómodo que pueda ser, hay oportunidades en las cuales la gente no necesita palabras de aliento, sino que necesita a alguien que le hable la palabra que le ayude a salir de su ceguera. Eso es lo que Pablo llamó "hablando la verdad en amor" (Ef. 4:15, *Biblia de las Américas*), y Howard Clinebell llamó "la fórmula del crecimiento, el cuidado más confrontación produce crecimiento".[1]

También se necesita el lado positivo de la enseñanza. La palabra traducida "corregir" es una combinación de dos palabras que significan alabanza o aprobación y derecho o correcto. Esta clase de enseñanza enfatiza restaurar a una persona al camino correcto por medio de la afirmación y el aliento. El escritor de Hebreos recordó a sus lectores que las reuniones congregacionales eran oportunidades importantes para animarse "unos a otros" y para "estimularnos al amor y a las buenas obras" (He. 10:24, 25). Bruce Larson señaló que el "tremendo poder de la afirmación. . . rompe todas nuestras defensas, nos capacita para admitir nuestras

culpas y nos libera para descansar y dejar que Dios renueve
nuestras mentes y ponga en orden nuestros sentimientos".[2]

Muchos diáconos enseñan a los creyentes el camino
cristiano por medio de la enseñanza bíblica (escuela
dominical), el desarrollo cristiano (Unión de Preparación) y
las organizaciones misioneras de la iglesia. A veces los
diáconos aconsejan a las personas que hacen decisiones en
los cultos de adoración. Ellos pueden ayudar a los nuevos
creyentes a crecer en su fe animándoles al estudio bíblico
regular y personal y a la oración. Los diáconos pueden
aconsejar a los miembros de la iglesia a buscar el crecimiento espiritual por medio de la aplicación del evangelio a
problemas específicos. Pueden enriquecer la vida familiar
ayudando a las familias a comenzar a fortalecer el culto
familiar, y, por supuesto, ellos enseñan siendo ejemplos en
el crecimiento hacia una fe madura, en la vida familiar
cristiana, en la moralidad personal y pública y en el
ministerio a las personas.

### Declarar la Palabra de Dios a la Comunidad

Jesús dijo que estaba enviando a sus discípulos al
mundo, pero que ellos no eran del mundo (Jn. 17:14-18).
La iglesia debe demostrar amor e interés por la comunidad,
pero no debe aceptar las actitudes y la moral de la
comunidad. A veces es necesario que una iglesia desafíe las
normas, la política y los planes de la comunidad. Los
profetas del Antiguo Testamento, Jesús y los apóstoles
estuvieron dispuestos a proclamar la Palabra de Dios en
contra de la corrupción y la opresión política, económica,
social y religiosa. El pueblo de Dios debe hablar abierta-
mente en cualquier lugar en el cual se amenace a la
verdad, se niegue la libertad, se anime el prejuicio o se
obstruya la justicia.

A veces un diácono será guiado por Dios para hablar en
forma profética. Como Amós, él puede sentir que no está
preparado para ese papel. Amós dijo: "No soy profeta, ni soy
hijo de profeta, sino que soy boyero, y recojo higos

silvestres. Y Jehová me tomó de detrás del ganado, y me dijo: Vé y profetiza a mi pueblo Israel" (Am. 7:14, 15). Los diáconos deben estar seguros de que están hablando "la Palabra del Señor" para cumplir sus propósitos, y no sus propios prejuicios para una ganancia egoísta. Necesitan ser sensibles a las oportunidades para hacer oír sus voces en los momentos y en las maneras apropiados.

Cuando los diáconos aceptan el desafío de compartir las buenas nuevas con los incrédulos, de enseñar a los creyentes el camino cristiano y de declarar la Palabra de Dios a la comunidad, reconocerán su necesidad de crecer en el conocimiento y la comprensión del mensaje que Dios quiere que ellos proclamen. Para esos diáconos, el estudio personal, la enseñanza bíblica (escuela dominical) y el desarrollo cristiano (Unión de Preparación) se convertirán en algo muy importante. También aprovecharán los estudios especiales de la Biblia, de doctrinas específicas y de los asuntos que deben enfrentar los cristianos. Buscarán también adiestramiento en cuanto a testimonio, predicación y enseñanza. Dios puede usar grandemente a los diáconos que están dispuestos a ser ejemplares en la proclamación del evangelio.

---

[1]Howard J. Clinebell, Jr., *The People Dynamic* (New York: Harper and Row, 1972), p. 40.

[2] Bruce Larson, *Ya No Somos Extraños* (Buenos Aires: Junta Bautista de Publicaciones, 1974), p. 51.

## Actividades Personales de Aprendizaje

1. _____, uno de los siete y el primer mártir cristiano, fue apedreado hasta morir porque proclamó a Cristo como Señor.

2. _____, uno de los siete, predicó a multitudes muy dispuestas en Samaria.

3. Los diáconos encuentran que _____ es el ejemplo principal para su ministerio de proclamación.

4. Los diáconos deben mostrar consistencia entre sus _____ y sus_____ para dar credibilidad a su ministerio de proclamación.

5. El hecho de que una persona no es un buen_____ _____no es una excusa para dejar de compartir el mensaje del reino de Dios.

6. El_____ es proclamar el camino cristiano de vida a aquellos que ya son discípulos de Jesucristo.

# 9

# SIERVOS EJEMPLARES EN EL LIDERAZGO CRISTIANO

Los diáconos tienen los ministerios pastorales de cuidar a los miembros de la iglesia y a otras personas de la comunidad, y de proclamar el evangelio a creyentes e incrédulos. Ellos comparten también con el pastor la tarea de guiar a la iglesia en el logro de su misión.

Muchas iglesias han encargado principalmente a los diáconos las responsabilidades del manejo administrativo. Esas tareas tienden a dominar el tiempo y las energías de los diáconos. Ellos se sienten incapaces de cumplir adecuadamente con otras responsabilidades de cuidado, dirección y proclamación. Es así que una cantidad creciente de iglesias están decidiendo no tener a los diáconos como los administradores financieros de las mismas o permitirles emitir juicios como una junta de directores. Las iglesias están asignando responsabilidades específicas a comisiones adecuadas y la coordinación de actividades al concilio de la iglesia. Esas iglesias descubren que ese enfoque asegura con más probabilidad que las familias reciban una atención adecuada de una congregación que las ama, que la administración necesaria de la iglesia es atendida eficientemente y que las buenas nuevas de Cristo son compartidas consistentemente con los creyentes y con los incrédulos.

Este cambio en las responsabilidades fortalece el papel de liderazgo de los diáconos en lugar de debilitarlo. Ellos amplían la oportunidad de ejercer un liderazgo poderoso y positivo en el espíritu de siervos humildes. Esta clase de liderazgo se expresa con un espíritu de unidad, con el propósito de edificar un compañerismo que atrae a la gente hacia una relación salvadora con Cristo y los alimenta en un discipulado total. En esa manera los diáconos se convierten en siervos ejemplares de liderazgo cristiano para los demás en la iglesia.

A medida que creció la iglesia en Jerusalén, el peso del ministerio fue mayor que el que los apóstoles podían manejar. Si esa carga podía ser compartida en forma adecuada, la iglesia no sería desviada de su misión principal. Por sugestión de los apóstoles, la iglesia eligió a siete que podían atender a las necesidades inmediatas de los miembros necesitados, y podían solucionar el problema en la comunión. De ese modo, la iglesia continuó cumpliendo su misión: "Y crecía la palabra del Señor, y el número de los discípulos se multiplicaba grandemente en Jerusalén" (Hch. 6:7). Los diáconos que toman seriamente este papel de líderes pueden ayudar a su iglesia a cumplir con el propósito de Dios.

## Guiar Como Lo Hizo Jesús

Los líderes buscarán su estilo o enfoque de liderazgo principalmente de los héroes, o ejemplos que elijan. Hay una amplia variedad de éstos ofrecidos por la historia, la literatura, los negocios, la política, las películas y la televisión. Sin embargo, muchos de ellos son ejemplos inadecuados para quienes quieren ser líderes cristianos. Jesús debe ser el ejemplo principal para los diáconos.

Los líderes enfrentan el peligro de dejarse llevar por su propia importancia. Pablo animó a los cristianos en Filipos diciendo: "Nada hagáis por contienda o por vanagloria; antes bien con humildad, estimando cada uno a los demás como superiores a él mismo" (Fil. 2:3). Luego, señaló a Jesús como el ejemplo supremo de esa actitud de humildad que es esencial para el liderazgo cristiano: "Haya, pues, en vosotros, este sentir que hubo también en Cristo Jesús, el cual, siendo en forma de Dios, no estimó el ser igual a Dios como cosa a que aferrarse, sino que se despojó a sí mismo, tomando forma de siervo, hecho semejante a los hombres, y estando en la condición de hombre, se humilló a sí mismo, haciéndose obediente hasta la muerte, y muerte de cruz. Por lo cual Dios también le exaltó hasta lo sumo, y le dio un nombre que es sobre todo nombre, para que en el nombre de Jesús se doble toda rodilla de los que están en los cielos, y en la tierra, y debajo de la tierra; y toda lengua confiese que Jesucristo es el Señor, para gloria de Dios Padre" (Fil. 2:5-11).

Jesús no buscó exaltarse a sí mismo. La exaltación podía solamente serle dada por Dios en respuesta a su acto de humildad. El había advertido a las multitudes y a sus discípulos que no siguieran el estilo de vida o conducta de los líderes religiosos que trataban de impresionar a los demás con su prestigio y su importancia. Jesús concluyó: "Porque el que se enaltece será humillado, y el que se humilla será enaltecido" (Mt. 23:12).

La experiencia de la tentación de Jesús al comienzo de su ministerio fue básicamente una lucha con Satanás en cuanto a un estilo adecuado de liderazgo. El rechazó la tentación de convertir las piedras en pan porque no quiso obligar a la gente a seguirlo por solucionar sus necesidades físicas. Cuando Jesús alimentó a los hambrientos o sanó a los enfermos, esas fueron señales de la misericordia de Dios y no una técnica de liderazgo. Jesús rechazó la tentación de tirarse desde el pináculo del templo porque no quiso presumir en cuanto al poder de Dios. Cuando Jesús realizó señales y milagros, estaba siendo guiado por Dios en lugar de estar probando a Dios. El sabía que cualquier respuesta popular a su poder de obrar milagros era superficial y, por lo tanto, un enfoque inadecuado del liderazgo. Jesús rechazó también la tentación de apelar a las expectativas que el pueblo tenía acerca de un gobernante político porque rechazó depender del poder y la autoridad externos.

No se convertiría en el Rey de reyes y Señor de señores

por medio de la intriga y el poder satánicos, sino adorando y sirviendo a Dios (Mt. 4:1-11).

En la última cena con los discípulos, Jesús demostró el espíritu de humildad cristiana siendo un siervo. El realizó la tarea de un siervo al lavar los pies de los discípulos. Su explicación fue: "Vosotros me llamáis Maestro, y Señor; y decís bien, porque lo soy. Pues si yo, el Señor y Maestro, he lavado vuestros pies, vosotros también debéis lavaros los pies los unos a los otros. Porque ejemplo os he dado, para que como yo os he hecho, vosotros también hagáis. De cierto, de cierto os digo: El siervo no es mayor que su señor, ni el enviado es mayor que el que le envió" (Jn. 13:13-16).

La actitud de humildad o mansedumbre no significa una estimación inferior de sí mismo. Por el contrario, la bondad disciplinada que surge de una confianza interior es un don de Dios. Jesús sabía que Dios le había dado toda autoridad. Debido a esa confianza interior, no necesitaba afirmar esa autoridad sobre los demás.

Sus discípulos tuvieron dificultades en comprender este estilo revolucionario de liderazgo. Jesús estaba tratando de preparar a sus discípulos para cuando él fuera arrestado y crucificado. Ellos no lo entendieron, probablemente porque estaban preocupados con la discusión en cuanto a quién entre ellos era el más importante. Jesús les dijo que aquel que es el menor es el grande (Lc. 9:44-48).

En una ocasión similar, Jacobo y Juan le pidieron a Jesús las posiciones de honor cuando él viniera en su gloria. Jesús aprovechó la oportunidad para contrastar claramente el liderazgo secular y el cristiano: "Sabéis que los que son tenidos por gobernantes de las naciones se enseñorean de ellas, y sus grandes ejercen sobre ellas potestad. Pero no será así entre vosotros, sino que el que quiera hacerse grande entre vosotros será vuestro servidor, y el que de vosotros quiera ser el primero, será siervo de todos. Porque el Hijo del Hombre no vino para ser servido, sino para servir, y para dar su vida en rescate por muchos" (Mr. 10:42-45). Comúnmente, la gente mide la posición y el prestigio por el poder para demandar servicios de otros. Sin embargo, Jesús demostró que el liderazgo descansa en convertirse en el siervo de todos. El poder se descubre en la sumisión y el servicio. La motivación para ese servicio no es alcanzar grandeza, sino el amor de Cristo y de ese modo el amor por su pueblo (Jn. 21:15-17).

Jesús atrajo a la gente para que lo siguiera por medio de la fuerte influencia de su estilo de liderazgo. Fue capaz de hacer que la gente dejara sus trabajos para seguirlo (Mt. 4:18-22; 9:9). Dijo que algunos líderes agregaban cargas sobre la gente en lugar de ayudarles a liberarse de ellas (Mt. 23:4). Jesús atrajo a la gente para que lo siguiera porque compartió sus cargas: "Venid a mí todos los que estáis trabajados y cargados, y yo os haré descansar. Llevad mi yugo sobre vosotros, y aprended de mí, que soy manso y humilde de corazón; y hallaréis descanso para vuestras almas; porque mi yugo es fácil, y ligera mi carga" (Mt. 11:28-30). El desafío a seguir a Cristo es atractivo porque prometió que compartiría el yugo, y que el yugo que él brinda es fácil de llevar, porque es vida como Dios quiere que sea vivida.

Jesús es el modelo de los diáconos para el liderazgo cristiano. Enseñó que un líder puede ser "fuerte sin ser duro, amable sin ser débil, atento sin ser sentimental, y perdonador sin ser flojo."[1]

## Servir Como Líderes Capacitadores

Aunque el pastor, como líder sobre toda la congregación, tiene un ministerio distintivo de capacitación (Ef. 4:12), los diáconos están en una posición única para ser ejemplos de un estilo capacitador de ministerio de servicio. Cada cristiano puede y debe buscar convertirse en una persona capacitadora.

Pablo escribió que el propósito del liderazgo cristiano es "perfeccionar a los santos para la obra del ministerio, para la edificación del cuerpo de Cristo". La meta del líder es capacitar a los cristianos para crecer hasta "un varón perfecto, a la medida de la estatura de la plenitud de Cristo". El líder también capacita a cada miembro del cuerpo de Cristo para funcionar adecuadamente, y de ese modo capacita a toda la iglesia para crecer en amor (Ef. 4:12-16).

Cuando los miembros de la iglesia respetan y confían en sus líderes, ellos aceptan la influencia que tienen. Los hermanos de la iglesia respetan a los diáconos que son cristianos consagrados, que tienen ministerios de cuidado y que apoyan entusiastamente a la iglesia. Ellos confiarán en los diáconos que les muestran amor y aceptación, que guardan las confidencias, que ayudan a solucionar sus necesidades y que les impresionan como cristianos auténticos. Los miembros de la iglesia respetarán a los líderes que demuestren una confianza humilde y valentía basadas sobre una dependencia en el poder de Dios que está disponible para todos los suyos. Rechazarán a los líderes que demuestran una confianza egoísta basada en un sentido de autoridad posesiva, en maneras que no están disponibles para otros.

Los diáconos ejercitan su liderazgo capacitador al ayudar a los miembros a descubrir las posibilidades de desarrollar y usar sus talentos, capacidades y habilidades que Dios les ha dado. Ellos también guían por medio del ejemplo de apoyo a los cultos, ministerios y líderes de la iglesia. Dado que los diáconos desarrollan una relación significativa con las familias asignadas en el plan del ministerio familiar del diácono, pueden ser un canal natural de comunicación de la iglesia. Los materiales y anuncios impresos pueden informar a los miembros en cuanto a presupuesto, campañas evangelísticas y cambios significativos que tengan lugar en la iglesia. Pueden también clarificar e interpretar los ministerios de la iglesia a las familias para facilitar su comprensión, y pueden desafiarlas y animarlas para que los apoyen.

Los diáconos pueden ayudar también a guardar el compañerismo cuando algún conflicto lo amenaza. La iglesia en Jerusalén eligió a siete varones en los que confiaban, para tratar en forma competente con una situación delicada. A veces los diáconos son llamados a "guardar la unidad del Espíritu en el vínculo de la paz" (Ef. 4:3).

Una comisión de la iglesia estaba trabajando sobre una resolución importante a ser presentada a la iglesia. La comisión se enteró de que algunos miembros estaban en desacuerdo con los principios usados para preparar la recomendación, y creyó conveniente compartir con los diáconos esos principios y ver sus reacciones para hacer una decisión. El presidente de los diáconos y otros aclararon que el asunto se llevaría a los diáconos, no *por medio* del cuerpo de diáconos. Pues, la comisión no les estaba pidiendo una aprobación o desaprobación formal, sino que buscaba el discernimiento de los líderes elegidos que tenían un contacto regular con toda la congregación. La comisión recibió algunas ideas significativas y útiles tanto de los que estaban de acuerdo como de los que desaprobaban el asunto. Los diáconos recibieron información y comprensión, lo que los capacitó para responder a las preguntas de las personas de su grupo de familias, y animar a un espíritu de compañerismo.

Cuando los diáconos actúen como una junta de directores de la iglesia, los miembros los considerarán como *los* líderes únicos de la misma. Hay más y más iglesias que se están apartando de este enfoque y que están solicitando que sus diáconos sean miembros de un equipo más amplio de liderazgo. Ese equipo incluye al pastor (y también otro personal con sueldo, si lo hubiera), a los diáconos, al concilio (comisión coordinadora) de la iglesia, y a otros que funcionan como líderes de la misma. Los miembros del equipo de líderes comparten su influencia en un espíritu de cooperación más bien que de competencia. Ellos buscan canalizar los recursos disponibles de la iglesia hacia la ayuda a las personas y el crecimiento de la iglesia.

Los líderes cristianos eficaces harán lo que se necesite

y cuándo haya que hacerlo. Se conducirán con firmeza en el espíritu de siervos humildes semejante al de Cristo. Esta clase de liderazgo puede ayudar a las personas a crecer y a la iglesia a lograr su misión. Esa misión incluye la evangelización para incrementar el número de los creyentes, la maduración de las personas en la fe cristiana, la mejoría de la calidad de vida en la congregación y el impulso de las misiones.

Después de cerca de cuarenta años en la dirección de entrenamiento e investigación para American Telephone and Telegraph Company, (Compañía Americana de Teléfonos y Telégrafos) Robert Greenleaf escribió el libro *Servant Leadership* ("Liderazgo de Servicio"). Es un libro dirigido principalmente a líderes de negocios e instituciones. El afirmó: "Se está haciendo un enfoque fresco y crítico en los temas del poder y de la autoridad, y la gente está comenzando a aprender, aunque con dificultad, a relacionarse una con la otra en maneras menos coercitivas y de más apoyo creativo. Está surgiendo un nuevo principio moral que sostiene que la única autoridad que merece adhesión es aquella que es concedida al líder en forma libre y consciente por los seguidores en respuesta y en proporción a la vida de servicio que es evidente en el líder."[2] Por supuesto, este principio no es realmente nuevo sino que es un redescubrimiento de lo que enseñó Cristo.

Cuando los diáconos son ejemplares en el liderazgo cristiano en sus iglesias, se encontrarán inevitablemente sirviendo como líderes capacitadores en sus hogares, trabajos y organizaciones comunitarias. A medida que se les observe, a algunos se les pedirá que asuman papeles importantes de liderazgo en su comunidad, su provincia (estado), su país y aun en la comunidad internacional. Las iglesias deben dar ánimo a esos diáconos, su apoyo continuo y oración cuando ellos tengan oportunidades más amplias de ser ejemplos de la vida cristiana aplicándola al liderazgo.

Otros diáconos quizá no sean seleccionados para el

liderazgo de organizaciones, pero sentirán que Dios está dirigiéndolos en la aplicación de sus habilidades para asuntos especiales. John Woolman, un cuáquero, fue de esa clase de líder. El se propuso eliminar de la Sociedad de Amigos (Cuáqueros) la esclavitud, por medio de una persuasión amable pero clara y persistente. Por un período de más de treinta años visitó repetidamente a esclavistas (dueños de esclavos) cuáqueros ricos y conservadores, buscando convencerlos en lugar de coercionarlos. Woolman principalmente formulaba preguntas: ¿Qué es lo que produce en su vida, como persona moral, la tenencia de esclavos? ¿Qué tipo de institución (herencia) está dejando para sus hijos? Su trabajo paciente dio como resultado la eliminación de la esclavitud de la Sociedad de Amigos cerca de cien años antes de la Guerra Civil en los Estados Unidos.[3]

Dios usará a los diáconos que sean ejemplares en el liderazgo cristiano para cumplir sus propósitos en las vidas individuales y en las iglesias; en las organizaciones tales como escuelas, negocios y clubes cívicos; en el gobierno; y en la sociedad en general. Los diáconos, para ser participantes con Dios en esos esfuerzos, necesitarán las mismas cualidades que demostraron cuando fueron elegidos por primera vez: el crecimiento hacia una fe madura, la vida familiar cristiana, la moralidad pública y personal y el ministerio a las personas. La iglesia y el mundo necesitan siervos ejemplares que cuiden de las familias, que proclamen el evangelio y que brinden un liderazgo cristiano. Esos modelos de siervos serán aceptados por Dios, por la iglesia y por el mundo.

---

[1] Wallace Denton, "A Man for All Seasons - the Baptist Deacon", *The Deacon*, July 1979, p. 38.

[2] Robert K. Greenleaf, *Servant Leadership: a Journey into the Nature of Legitimate Power and Greatness* (New York: Paulist Press, 1977), pp. 9, 10.

[3] *Ibid.*, pp. 29, 30.

### Actividades Personales de Aprendizaje

1. Los diáconos comparten con el pastor la tarea de _____ a la iglesia en el logro de su misión.
2. Jesús demostró que un líder cristiano debe ser un _____.
3. Para que los miembros de la iglesia sean influidos por los diáconos, éstos deben ganar su _____,
4. Los diáconos deben guiar por medio del _____.
5. _____ debe ser el ejemplo de los diáconos para el liderazgo cristiano.

# BOSQUEJOS DE
# LOS CAPITULOS

## Respuestas a las Actividades Personales de Aprendizaje

**Capítulo 1**
1. ejemplares
2. siervo
3. selección
4. rotación
5. entrevista personal
6. ordenación

**Capítulo 2**
1. calificados
2. madura
3. Espíritu
4. estudio bíblico
5. fe
6. obedecer
7. perfectos

**Capítulo 3**
1. familia
2. iglesia
3. equipo
4. hijos
5. instrucción
6. hogares o familias

**Capítulo 4**
1. piedad
2. manera de hablar
3. abstenerse
4. codiciar
5. diezmo

**Capítulo 5**
1. calificados
2. confianza
3. popularidad
4. aceptable, aceptable
5. fieles

**Capítulo 6**
1. necesidades
2. siervo
3. guiar, proclamar, cuidar
4. colaboradores
5. ministerio familiar
6. colaboradores
7. adiestramiento

**Capítulo 7**
1. obras
2. amor
3. registro
4. crisis
5. escuchar

**Capítulo 8**
1. Esteban
2. Felipe
3. Jesús
4. palabras, obras
5. orador
6. enseñar

**Capítulo 9**
1. guiar
2. siervo
3. confianza o respeto
4. ejemplo
5. Jesús